1. Annabelle : 180°

Chloé Varin

LES INTOUCHABLES
512, boul. Saint-Joseph Est, app. 1
Montréal (Québec)
H2J 1J9
Téléphone : 514 526-0770
Télécopieur : 514 529-7780
www.lesintouchables.com

DISTRIBUTION : PROLOGUE
1650, boul. Lionel-Bertrand
Boisbriand (Québec)
J7H 1N7
Téléphone : 450 434-0306
Télécopieur : 450 434-2627

Impression : Transcontinental
Conception du logo : Marie Leviel
Mise en pages : Mathieu Giguère et Virginie Goussu
Illustration de la couverture : Josée Tellier
Direction éditoriale : Érika Fixot
Révision : Chantale Bordeleau, Patricia Juste Amédée
Correction : Élaine Parisien
Photographie : Mathieu Lacasse

Les Éditions des Intouchables bénéficient du soutien financier du gouvernement du Québec — Programme de crédit d'impôt pour l'édition de livres — Gestion SODEC et sont inscrites au Programme de subvention globale du Conseil des Arts du Canada.

Nous reconnaissons l'aide financière du gouvernement du Canada par l'entremise du Fonds du livre du Canada (FLC) pour nos activités d'édition.

Dépôt légal : 2012
Bibliothèque et Archives nationales du Québec
Bibliothèque nationale du Canada

ISBN : 978-2-89549-478-2 (2,95 $) 978-2-89549-454-6 (prix régulier)

D'après une idée de Michel Brûlé

Chloé Varin

Dans la même série

Planches d'enfer, Samuel : 360°, roman jeunesse, 2012.

Chez d'autres éditeurs

Par hasard... rue Saint-Denis, roman, Éditions Stanké, 2008.

« La vie offre toujours deux pentes.
On grimpe ou on se laisse glisser. »

— **Pierre Hebey, (1926-)**

MOT DE L'AUTEURE

En imaginant les personnages de la série Planches d'enfer, je me suis surprise à retrouver l'étrange énergumène que j'étais à l'adolescence. Celle qui trouvait les filles trop « filles » et les gars trop « gars », mais qui parlait à tout le monde, sans distinction. Celle qui passait ses journées le nez plongé dans un roman, et ses soirées à user sa planche dans l'espoir d'impressionner les garçons.

Dès les premiers balbutiements de *Planches d'enfer, Annabelle : 180°*, j'ai rencontré un obstacle de taille : la barrière de la langue. Bon. J'écris en français, c'est vrai. Mais le sujet que j'aborde, lui, est foncièrement dominé par l'anglais. La preuve : la plupart des figures, des modules et des techniques reliés à l'univers de la planche sont désignés par des termes anglophones. Vous entendrez rarement un planchiste vous parler de son amour pour la planche à roulettes ou pour la planche à neige. Il vous dira plutôt qu'il *tripe* sur le skate ou le snow. Ce même planchiste vous avouera, par le fait même, qu'il n'existe rien de mieux dans la vie que de *rider* avec ses *bros*. C'est pourquoi il s'applique religieusement à *lander* ses *tricks,* et se fait un devoir de changer ses *trucks* régulièrement, afin de mieux *grinder* sur le *curb* du skatepark.

Je crois que vous avez compris le principe. Difficile d'échapper à l'anglais, à moins de renoncer, en quelque sorte, à la crédibilité et à l'authenticité du sujet ! J'ai donc trouvé un compromis : me permettre quelques petits anglicismes par-ci, quelques termes techniques par-là, à condition de vous fournir un lexique pour traduire et vulgariser certaines expressions plus… nébuleuses, disons !

Ainsi, chaque fois que vous apercevrez un mot marqué d'un astérisque*, vous saurez qu'une définition vous attend à la toute fin de ce roman, dans la section « Jargon du planchiste ».

Bonne lecture !

Chloé ☺

1

— Maman, mamaaaaaan ! Monte le son. C'est la chanson avec le camion !

— Ouuuuuiiiii, chanson-camion !

Il y a des jours où Annabelle rêverait d'échanger son petit frère et sa petite sœur contre des bébés chats.

Ou des bébés rats.

Ou contre n'importe quoi, pourvu que ça ne parle pas et que ça ne vire pas complètement gaga en écoutant le dernier disque d'Annie Brocoli. Argh ! Deux ou trois chansons, ça va. Mais trois heures à se faire casser les oreilles par des chansonnettes débiles, alors là…

« Je roulais jusqu'au bout de ma rue. J'avais hâte d'élargir mes avenues. Avoir une moto, un gros camion, une auto. Faire les routes. Regardez comme c'est bôôôôôôô ! »

Annie Brocoli dit vraiment n'importe quoi ! Annabelle a beau regarder par la fenêtre de la vieille voiture familiale, ce qu'elle aperçoit à travers la vitre est loin d'être « bôôôôôôô ». Dehors, le paysage défile comme un documentaire poche. Des arbres. Des maisons. Des poteaux électriques.

Encore des arbres. Tiens, une borne-fontaine rouge. Comme c'est original !

Si c'était juste d'Annie Brocoli, le trajet Québec-Rawdon serait encore supportable. (Annabelle n'oserait jamais l'avouer, mais elle trouve certaines de ses chansons plutôt...accrocheuses.) Mais entendre Jules et Camille hurler à répétition par-dessus la musique : « Quand est-ce qu'on arrive ? Hein, maman ? Hein, papa ? Est-ce qu'on est encore loin ? » la rend folle. Complètement folle ! Apportez d'urgence une camisole de force avant qu'elle ne sorte les griffes ! Heureusement pour Jules et Camille, leur grande sœur a la mauvaise habitude de se ronger les ongles jusqu'au sang. Alors, pas de danger qu'elle les attaque, même si ce n'est pas l'envie qui manque ! Annabelle se contente plutôt d'imaginer l'annonce qu'elle mettrait sur Kijiji.ca :

« Jolie portée de bipèdes. Vaccinés et en bonne santé. Vendus en paire ou séparément. Appelez dès maintenant et vous obtiendrez en prime le merveilleux guide *Comment résister à la tentation de les étriper, en 10 étapes faciles !*

Même son chat n'en peut plus d'écouter Jules et Camille se lamenter sur fond musical du *Broco Show 2*. Enfermé dans la cage de transport posée sur les genoux d'Annabelle, le pauvre petit félin tremble de tous ses poils en poussant des miaulements plaintifs.

Meeeeeeeeeeooooooooooooooooooooooww-wwwwwwww!

Meeeeeooooooooooooooooowwwwww!

Meeeooooww?

Ce n'est pourtant pas son genre d'être aussi bavard. Et aussi peureux. En temps normal, Boots est un chaton batailleur et curieux. C'est d'ailleurs un peu (beaucoup) pour cette raison qu'Annabelle l'a baptisé en l'honneur de son planchiste préféré: Zachary Boutin, alias Zac Boots. Il est tellement BEAU et TALENTUEUX et CRAQUANT et surtout COURAGEUX quand il est sur sa planche* à quinze mètres dans les airs! Qu'il réussit une nouvelle figure hallucinante! Qu'il salue les caméras après avoir remporté la première position (il gagne toutes les compétitions… enfin, presque)!

Annabelle ronronne juste d'y penser.

L'adolescente de treize ans se console en se disant qu'au moins Boots (le chat, pas le gars) n'a aucune idée de ce qui l'attend, contrairement à elle… qui sait pertinemment que sa vie prend un virage à 180° et que son pire cauchemar est sur le point de se réaliser. Que son existence va, d'ici quelques minutes, se transformer en un véritable film d'horreur.

En effet, contrairement à son frère, à sa sœur et à son chat, Annabelle connaît très bien le nom de la ville où ils vont. Et elle sait parfaitement dans combien de temps ils arriveront ; c'était écrit sur le panneau que leur auto vient tout juste de dépasser. Dans sa tête, le compte à rebours est déjà commencé :

« **10…**

… kilomètres avant d'arriver à Rawdon. Tu parles d'un nom ridicule pour une ville. Ça sonne comme "rat-dune". Il me semble que ça ferait un bon titre de chanson pour Annie Brocoli, *Le rat dans les dunes*. Ou quelque chose du genre. Si j'arrivais à échanger Jules pis Camille contre des bébés rats, c'est comme ça que je les appellerais : Rat et Dune.

Ou pas. C'est vraiment trop laid.

9…

… petites minutes avant de mettre les pieds dans notre nouvelle maison. Pff ! Alain et maman peuvent ben dire ce qu'ils veulent : ma vraie maison est à Pont-Rouge. Il n'y a TELLEMENT aucune chance que je me sente un jour chez moi à Rat-Dune !

Non, vraiment aucune chance.

8…

… jours avant le début des classes dans ma nouvelle école, où je ne connais PERSONNE ! Pas de Léa. Pas de Zoé. Ni même de Thomas (je ne pensais jamais m'ennuyer de celui-là un jour, mais…). C'est clair que je vais être seule au monde.

Vraiment toute seule !

AHHHHHHH ! »

Juste d'y penser, Annabelle a envie de se jeter par la fenêtre de la voiture et de prendre ses jambes à son cou. Mais comme il est physiquement impossible de prendre ses jambes à son cou (elle a déjà essayé), elle reste sagement assise sur la banquette arrière, coincée comme une sardine dépressive entre son chat, son frère, sa sœur et toutes les bébelles qui ne rentraient plus dans le camion de déménagement.

De toute façon, même si elle voulait s'enfuir, elle en serait incapable, puisque sa mère est aussi accro à l'air conditionné qu'à la sécurité. Malgré la chaleur persistante du mois d'août, les fenêtres sont fermées, et les portières, bien verrouillées, grâce aux serrures à l'épreuve des enfants. Les fabricants de voitures ont vraiment pensé à tout en installant ce petit bouton magique du côté des sièges avant. On devrait leur décerner le prix Nobel du meilleur « obstacle à la liberté adolescente ».

Mais il n'y a pas que les fabricants de voitures qui constituent un obstacle majeur dans la vie d'Annabelle. En tête de liste de son palmarès figurent…

… roulement de tambour…

… sa mère et son beau-père, évidemment ! Même si, selon Annabelle, l'appellation « beau-père » ne s'applique absolument pas à Alain, qui est tout sauf beau. « Faux-père de substitution » ou « laid-père » conviendraient beaucoup mieux.

En ce moment, le faux-père a le nez plongé dans sa carte routière, l'air nerveux. Il est toujours nerveux lorsqu'il ne se sent pas en parfait contrôle de la situation. Et comme ce n'est pas lui qui conduit…

— Il va bientôt falloir tourner à droite, chérie. Tu devrais commencer à ralentir. Jeanne, tu devrais vraiment… RALENTIS !

— Voyons, Alain. Contente-toi donc de faire ton travail de copilote au lieu de me dire comment conduire !

— Bon. Trop tard, on vient de manquer la rue !

Alain se retourne pour jeter un œil à travers la fenêtre arrière du véhicule. Alors qu'il soupire pour manifester son mécontentement, une puanteur de vieux sandwich moisi envahit l'habitacle. Pouah ! C'est comme ça chaque fois qu'Alain (alias Haleine) ouvre la bouche.

Un orthodontiste qui a mauvaise haleine, c'est un peu comme un cordonnier mal chaussé, non ?

Annabelle trouve ça plutôt… ironique.

Elle hésite entre éclater de rire et ouvrir la fenêtre pour vomir. Mais… les fenêtres sont bloquées. Comme les portières. Une vague d'angoisse se répand en elle tel un poison mortel. Ses jambes sont engourdies, et ses oreilles aussi. Et, surtout, son nez voudrait bondir de son visage. C'est fou ce que ça pue ! « AU SECOURS ! Laissez-moi sortir ! »

Sa mère aussi commence manifestement à s'énerver :

— Bon ! Dans ce cas-là, qu'est-ce que je fais ? Je continue tout droit ou je vire de bord ?

— Non, non, continue. Il va bientôt y avoir un virage. Oui, c'est ça : là, devant. Tu vois ?

Alors qu'elle colle désespérément son visage contre la vitre, Annabelle a l'impression d'être en proie à des hallucinations. Elle délire, c'est clair !

Sinon comment expliquer la présence de ce skatepark* dans son champ de vision ?

Elle cligne des yeux, se pince un bras et... le skatepark est toujours là ! Tandis que sa mère entreprend le virage à la vitesse d'un tricycle souffrant d'une triple crevaison, Annabelle détaille avidement l'oasis qui prend forme sous ses yeux ahuris. À quelques mètres sur sa gauche, de petits modules s'alignent : des rampes*, un *funbox** avec des *rails** et un *curb*[1]. Pas si mal ! Les

---

1 Vous n'avez absolument aucune idée de ce que signifient un *funbox*, des *rails* et un *curb* ? Dois-je vous rappeler d'aller consulter le lexique à la fin du roman ? Oh ! Pas la peine d'être gênés ; personne ne le saura ! Ça restera entre vous et moi, parole de scout. (La vérité, c'est que je n'ai jamais reçu de formation scout, alors libre à vous de me faire confiance... ou pas.)

Rawdonnois (ou Rawdonnais ? !) ne sont peut-être pas si nuls qu'elle croyait, finalement.

Elle aperçoit un gars d'environ son âge, une planche à la main. Il n'est pas vraiment beau. Ni même vraiment laid. Juste... spécial. C'est vrai qu'il a tout un style avec ses vêtements dépareillés, ses longs cheveux frisés et ses tibias barbouillés de sang séché ! (Annabelle a toujours eu un faible pour les casse-cou.) Trois autres gars d'à peu près treize ans sont là, assis sur leurs planches respectives, à quelques mètres de lui.

Les bouclettes au vent, le frisé s'engage sur le *quarter-pipe**. Il demeure en équilibre sur le *coping** durant une fraction de seconde avant de redescendre au sol. En roulant vigoureusement vers la barre de métal dont l'extrémité précède le *funbox*, il claque un *ollie** bien senti, puis glisse sur le rail. Mais, lorsqu'il quitte la tige métallique des yeux pour braquer son regard sur elle, il perd pied. Momentanément déstabilisé, le jeune skateur* atterrit brusquement sur le module, à cheval sur la barre de métal, les bijoux de famille comprimés comme des oranges pressées.

OUCH ! Il se relève aussi vite qu'il est tombé, mais ses « amis » sont déjà tordus de rire. Contrairement à eux, si le petit frisé se plie en deux, c'est qu'il souffre visiblement le martyre...

Annabelle donnerait n'importe quoi pour les rejoindre et aller profiter des installations du skatepark de son nouveau quartier. Elle leur en mettrait plein la vue, à ces amateurs !

Mais la voiture continue de rouler. Le parc est déjà loin derrière…

Raison de plus pour avoir envie de sauter de l'auto.

Au moins, l'odeur repoussante d'Alain-Haleine a eu le temps de se dissiper tandis qu'Annabelle était perdue dans ses pensées.

2

Sam est un expert dans l'amortissement des *slams**.

Pour être un bon skateur, il faut d'abord et avant tout savoir bien tomber, question de se relever avec élégance et rapidité. C'est pareil pour les clowns. Comme tout amuseur public qui se respecte, l'adolescent de treize ans a intégré l'un des principes fondamentaux de l'humour : il faut souffrir pour être drôle. Depuis qu'il détient cette information ultra-secrète, ses savantes cabrioles constituent souvent le clou de ses spectacles improvisés ; son numéro infaillible pour dérider les foules.

Sam se relève du module aussi vite que s'il avait rebondi sur l'asphalte. Sboing ! Les cheveux en bataille, le chandail tout croche, les tibias écorchés, la sueur au front… vraiment, il est à son meilleur !

Légèrement recourbé sur lui-même, les mains placées en coquille devant ses parties intimes, il se tortille de façon loufoque en hurlant :

— AYOYEEE ! Mes chnolles ! ! !

— Ça remet le mal à la bonne place, hein? dit Loïc, un sourire en coin.

— Gnan-gnan! Très drôle.

Le grand blessé ne peut toutefois s'empêcher d'esquisser un sourire, parce qu'enfin… c'est vrai qu'il l'a un peu cherché. Les violentes chutes font partie du skate, sinon à quoi bon considérer cette pratique comme un sport extrême? Sam n'a aucune gêne à reconnaître que c'est justement le danger qui, de prime abord, l'a attiré vers les sports de glisse comme la planche à neige et à roulettes. Depuis l'âge de neuf ans, il s'entraîne à repousser les limites de son corps, pour se prouver qu'il le peut encore… contrairement à Christophe, son frère, prisonnier d'un fauteuil roulant depuis qu'un accident de quatre-roues l'a laissé les deux jambes paralysées.

Une fois la douleur partiellement dissipée, le cascadeur amateur s'empresse de se redresser. Il a quand même une certaine fierté à conserver, et puis il se dit que le spectacle doit continuer!

Sam — Samuel pour les moins intimes — salue son public comme s'il était la *rock star* de l'heure: en secouant sa longue tignasse frisée avec beaucoup trop d'entrain, les bras levés vers le ciel, même si son public est… disons… hum… plutôt limité:

– Loïc, alias BD, son meilleur ami. Ils se connaissent depuis toujours, ou presque. (Ce qui ne l'empêche pas de se foutre de la gueule de Sam en ce moment.)
– Fabrice, alias Fabriche ou le Français (riche). Un super-pote qui n'a pas la langue dans sa poche. (Ce qui l'encourage précisément à se foutre de la tronche de Sam en ce moment.)
– Xavier, alias le Roux, son ami de soutien : gentil, drôle, compréhensif, mais un peu suiveux et, surtout, très influençable. (Ce qui le force justement à se foutre de la gueule de Sam en ce moment... pour faire comme les autres.)

Bref, ce n'est pas tout à fait un public qu'on pourrait qualifier de solidaire.

Mais ce sont ses chums de *ride*. Sa clique de pouilleux. Ses amis, quoi ! Et Sam est toujours prêt à les faire rire, même à ses dépens...

Le petit bichon... euh... bouffon frisé masse ses fesses endolories en regardant la voiture s'éloigner. OUCH ! Il a l'habitude de tomber, c'est vrai. Mais, aujourd'hui, il est complètement sonné.

C'est sûrement la faute de la fille, celle qui l'a déconcentré.

— Vous allez penser que je suis fou, là, mais je pense que je viens de voir la petite sœur de Shakira.

Il continue de fixer la route dans la direction empruntée par la voiture. Xavier vient se poster à ses côtés pour avoir une meilleure vue sur la rue. En s'étirant le cou, il demande, le plus sérieusement du monde :

— Hein ? Shakira a une sœur ? Où ça ?

— Dans tes rêves, le Roux. Shakira junior à Rawdon, c'est n'importe quoi ! répond Fabrice sans même prendre la peine de relever les yeux de sa nouvelle planche, qu'il s'applique à décaper à certains endroits de façon à ce qu'elle paraisse abîmée. Il s'agit d'une subtile manigance pour faire croire qu'elle a déjà beaucoup servi, alors qu'en réalité son utilité est purement accessoire ; le Français est nul en skate et il déteste tous les sports dans lesquels il n'excelle pas.

D'ailleurs, si Fabrice se fait toujours un plaisir de contredire les gens, c'est justement parce que critiquer est une pratique dans laquelle il s'illustre admirablement. À chacun ses forces et ses faiblesses.

Sam est pourtant certain de ce qu'il a vu : assis sur la banquette arrière de l'auto, un superpétard d'environ treize ou quatorze ans avec de fines tresses rastas. « Des dreads ? Ça fait changement des têtes de mouffettes[2] ! Elle doit pas être du coin, elle… » Il mettrait sa main au feu que la fille en question l'a regardé. LUI. Il serait même prêt à parier qu'elle a souri en le voyant tomber. Comme si c'était amusant de voir un inconnu perdre sa virilité sur une barre en acier ! Xavier le dévisage, inquiet :

— T'es sûr que ça va, Sam ? T'as peut-être fait une commotion…

— Ben là ! Exagère pas, le Roux. C'est pas sa tête qui a pris le coup, c'est juste les bijoux ! Ha ! Ha !

C'est Loïc qui a décidé de s'en mêler, délaissant par le fait même le module sur lequel il gribouillait de petits graffitis incompréhensibles depuis un moment. Mais Xavier n'en démord pas :

— Non, mais c'est vrai ! Faut pas niaiser avec ça, les gars. C'est grave, une commotion cérébrale ! Moi, ça m'est arrivé à Noël il y a deux ans pis…

— C'est fort, pareil ! Suffit que je me pète les « gorleaux » sur le bord du traîneau pour que tu m'inventes des gros bobos pis des histoires de père Noël… C'est toi qui es grave, Xav !

---

2 Sam fait sans doute référence aux filles dont les cheveux (faux) blonds sont striés de mèches noires, ou vice-versa. Par contre, je ne saurais dire si cette expression est imputable à ses problèmes de vision, ou à sa bouillonnante imagination…

Et c'est reparti pour un nouveau fou rire général. Mais, cette fois, c'est aux dépens de Xavier. Sam est d'ailleurs assez fier de l'effet de sa réplique. S'il est le premier à rire de lui-même, il préfère quand même rire des autres. C'est bien plus drôle !

Comme ce n'est pas la blague du siècle (Sam en a de bien plus comiques à son actif), les quatre gars retrouvent bientôt un semblant de sérieux. Conséquence : Sam devient nerveux.

C'est bien connu, certaines personnes souffrent d'intolérance au lactose. Samuel, lui, souffre d'intolérance au silence. Parler pour parler est son sport préféré (à égalité avec le skate et le snowboard). Il décide donc de meubler ce « temps mort » par la première pensée qui lui vient à l'esprit :

— Coudonc, qu'est-ce qui fait, Mathis ? C'est ben long ! Il m'a dit qu'il partait de Saint-Côme il y a... genre... deux heures. Ça prend pas DEUX heures pour venir de Saint-Côme jusqu'à Rawdon !

— Dans le monde parallèle de Mat, oui.

Mathis est le roi incontesté du retard non-justifié. Le gourou ultime de la « zenitude » démesurée. Avec lui, les minutes deviennent des heures. Le temps s'écoule au compte-gouttes. Vraiment. Il n'y a pas plus décontracté que lui. Même les escargots et les tortues l'envient !

Une voiture ralentit devant le parc et s'arrête à leur hauteur.

Les quatre garçons reconnaissent aussitôt Mathis, assis du côté passager. Difficile de ne pas le remarquer. Avec son impressionnante tignasse afro, il passe rarement inaperçu.

Sa peau couleur café moka lui provient de ses parents biologiques, alors que sa profonde conscience écologique et ses vêtements aussi durables qu'équitables lui viennent de ses parents adoptifs. Un cocktail aussi explosif que marginal… Mathis vit dans un village où les Noirs sont à peu près aussi rares que du steak tartare sur le menu d'un resto végétarien. Alors, aussi bien dire qu'il est habitué de se faire remarquer. Normal. Dès qu'il met les pieds quelque part, c'est comme si le monde arrêtait de tourner pour s'ajuster au même fuseau horaire que lui, c'est-à-dire en mode « décalé ».

Assurément, Mathis est un spécimen rare. Sinon comment expliquer que son propre magnétisme lui fasse perdre le nord ?

3

— Quand est-ce qu'on arrive ? Hein, maman ? Hein, papa ? Est-ce qu'on est encore loin ?

Annabelle essaie de garder son calme et de ravaler son envie de zigouiller son frère et sa sœur. Elle regarde le paysage défiler. Toujours rien de nouveau à l'horizon. Des arbres. Des poteaux électriques. Des boîtes postales. Encore des arbres. Tiens, une petite famille heureuse qui promène son chien en souriant. Comme c'est touchant ! Pff !

Toutes les petites villes se ressemblent. « On dirait un copier-coller de Pont-Rouge », se dit Annabelle. Sauf qu'au moins, s'ils étaient à Pont-Rouge, elle reconnaîtrait des visages au passage.

Bientôt, la voiture familiale surchargée s'engage dans une petite rue résidentielle. Leur rue. La… RUE DES ORMES ?

Comme dans le *5150, rue des Ormes*[3] ? Oh ! mon Dieu ! Sa mère peut bien lui reprocher de regarder trop de films et de lire trop de romans d'épouvante. Si au moins Jeanne écoutait plus

---

3 Roman d'horreur écrit par Patrick Senécal et ayant fait l'objet d'une adaptation cinématographique.

de films d'horreur, elle saurait que leur nouvelle adresse a tout ce qu'il faut pour faire la une des journaux.

« MASSACRE À RAWDON. La rue des Ormes fait de nouvelles victimes. Patrick Senécal clame son innocence. »

Mais sa mère, qui ne se doute visiblement de rien, s'avance tranquillement dans l'allée de garage pour aller stationner l'automobile derrière le camion de déménagement. Une fois la voiture bien garée, Alain se retourne et annonce à l'intention des « enfants » :

— Terminus ! Tout le monde descend !

YARK ! Nouveau relent de sandwich moisi. Annabelle devrait être folle de joie à l'idée d'échapper à la nouvelle bombe puante de l'orthodontiste (commanditée par la gomme Dentier Ice à saveur de tartre). Pourtant, elle n'a vraiment plus le goût de sortir de l'auto parce que…

De l'autre côté de sa portière, bien appuyé contre la balustrade de la terrasse de leur nouvelle maison, un des trois déménageurs l'observe.

Avec des yeux de maniaque. Et une tête de tueur en série.

Annabelle est peut-être folle, mais elle sait reconnaître le danger quand il pointe le bout de son nez…

Justement, en parlant de nez, elle a intérêt à boucher le sien. Et à agir vite. Parce qu'elle n'a pas du tout envie de mourir aujourd'hui. Demain, peut-être. Mais pas aujourd'hui.

Sa mère descend de la voiture. Alain aussi. Ils se dirigent vers les portières arrière de l'auto pour faire sortir les « enfants ». Les doigts pincés sur ses narines, Annabelle dépose la cage de Boots sur les genoux de son petit frère. (Meoowwwwwwwwwww !) Elle s'empresse d'enjamber le siège avant et d'actionner la fameuse serrure à l'épreuve des parents. Ouf ! Enfin à l'abri du déménageur-maniaque-tueur-en-série. Paniquée, sa mère cogne contre la vitre du côté passager.

— Annabelle, qu'est-ce que tu fais ? Débarre les portes !

— Non ! Moi, je ne sors pas d'ici avant qu'ils soient repartis, dit-elle en avançant le menton en direction des déménageurs. Jules pis Camille non plus.

C'est vrai. Son petit frère et sa petite sœur l'énervent parfois. Bon, souvent. Mais pas question qu'elle laisse un déménageur-à-tête-de-tueur les étriper aussi facilement !

Le déménageur se rapproche.

Dommage que le guide *Comment résister à la tentation de les étriper, en 10 étapes faciles !* n'existe pas. Annabelle aurait pu s'en servir pour convaincre le maniaque de les laisser sains et saufs.

Ou elle aurait pu s'en servir pour… l'assommer!

Oui, c'est ça. Elle imagine le livre idéal: une brique de six ou sept cents pages. Mais pour que le guide soit aussi gros, il faudrait au moins mille étapes faciles plutôt que dix. Avec une couverture rigide. Très, très rigide. Du genre en bois. Comme un skate.

Son skate!

Pourquoi n'y avait-elle pas pensé avant? C'est l'arme de défense idéale. Et puis, il est juste là, à ses pieds. Annabelle ramasse sa planche à roulettes. Elle étire le bras pour atteindre la serrure du siège passager. Elle regarde Jules et Camille. Avec l'assurance et l'autorité des grandes héroïnes de films d'horreur (celles qui survivent), elle leur dit:

— Attendez-moi. Bougez pas d'ici!

Elle s'apprête à sortir de l'auto, mais Alain-Haleine fait barrière entre la voiture et le maniaque.

Et là…

Il ouvre la bouche et une petite brume s'en échappe. Comme l'hiver quand il fait trop froid. Sauf qu'au lieu d'être une fine buée blanche, c'est une vapeur verte. YARK!

Et là…

Le déménageur-à-tête-de-tueur s'évanouit aux pieds de l'orthodontiste-à-l'haleine-tueuse.

K.-O. Raide mort. Empoisonné.
(Oui. Annabelle a vraiment trop d'imagination.)

4

Devant le skatepark, Mathis s'extirpe de la voiture, len-te-ment. En fait, le mot « lentement » n'est même pas assez fort pour décrire l'éternité qu'il prend pour ouvrir la portière et déplier ses longues jambes hors du véhicule. N'importe quelle personne normalement constituée aurait eu le temps de courir au dépanneur s'acheter une tablette de chocolat, de la manger, puis de la digérer, alors que Mathis en serait encore à saluer sa mère et à refermer la portière derrière lui.

Il rejoint ses amis en mode « ralenti », fidèle à son attitude décontractée. Son longboard* pendouille à sa main, comme greffé par une chirurgie bizarre. Son visage est fendu par son immense sourire légendaire : deux rangées de dents d'une blancheur spectaculaire.

De loin, Mathis ressemble à un micro ambulant, format géant. De près aussi.

En fait, avec sa silhouette allongée et son afro, Mathis donne plutôt l'impression d'être un micro qui aurait avalé un juke-box. Glurp ! C'est que Mathis écoute de la musique en PERMANENCE et que le volume est suffisamment fort pour que les notes semblent sortir directement de ses pores. La musique, pour Mathis, c'est comme de l'oxygène. Retirez-lui ses écouteurs et il meurt.

En battant la mesure sur un rythme ska aux accents reggae, Mathis continue d'avancer vers sa petite bande.

— *Yo*, les gars ! Qu'est-ce que vous foutez là ? J'étais sûr qu'on s'était donné rendez-vous chez le Roux.

— Tiens, c'est le brûlé qui s'amène ! Avec genre… vingt heures de retard, comme d'habitude. Il était temps que tu reviennes en ville, toi !

On pourrait croire que Sam appelle son ami « le brûlé » pour faire référence à son teint basané. D'autant plus que Mathis revient de voyage et qu'il est encore plus bronzé que d'habitude. Mais Samuel surnomme TOUT LE MONDE comme ça, et Mathis le sait. Dans le langage du frisé, un(e) « brûlé(e) », c'est quelqu'un qui est un peu (beaucoup) tête en l'air. Du genre perdu. Et il n'existe pas plus lunatique que Mathis. Pour quelqu'un d'aussi calé en géographie, on se serait certes attendu à un comportement plus terre à terre. Mais non… Mathis flotte constamment en orbite.

Voyant l'air confus du « brûlé », Sam explique :

— J'ai dû te le dire au moins vingt fois, minimum, qu'on se rencontrait au skatepark !

— Ah ouais ? fait Mathis en haussant les épaules de façon détachée. Bah, j'ai dû oublier.

— En tout cas... C'est clair que si t'avais un cell, Fabriche t'aurait texté avec son nouveau iPhone 4 pour t'envoyer une « invitation officielleuh », dit Sam en imitant l'accent français de son ami.

— Pis un événement Facebook avec des commanditaires, tant qu'à y être ? Je vous trouve pas mal intenses avec la technologie !

— Je vois vraiment pas de quoi tu parles-eu.

Le Français sort le fameux iPhone de sa poche avec une attitude de poseur. Du genre « regardez comme je suis cool avec ma bébelle à 600 $ ». Fabrice, c'est un arrogant qui s'assume.

— Ooooooh, mais c'est vrai ! Le pauvre, il peut pas savoir. Sa mère veut pas qu'il ait de téléphone portable-eu... parce que c'est DANGEREUX pour son cerveau. Pouahahaha !

Xavier donne un coup de coude au Français, qui se bidonne carrément, et lui chuchote :

— Ta gueule, Fab. Sa mère est encore là... Pis elle nous écoute.

Les cinq gars se retournent tous en même temps pour se rendre compte que... Sylvie, la mère adoptive de Mathis, est effectivement toujours là. Derrière eux. Assise au volant de sa petite voiture hybride. Et qu'elle a TOUT entendu, puisque les fenêtres sont ouvertes. Sylvie déteste l'air climatisé, alors elle roule les vitres baissées durant tout l'été. Elle préférerait manger de la bouse de vache par les oreilles plutôt que d'encourager la pollution.

Samuel, Fabrice, Xavier et Loïc s'improvisent une gueule d'ange (pas très réussie) en prenant leur voix de téteux (plutôt réussie) pour dire en chœur :

— Salut, m'dame Aubin !

Sam est assez crédible dans le rôle du lèche-botte. Loïc n'est pas mal non plus. On ne peut pas en dire autant de Fabrice et de Xavier.

Sylvie leur dit, avec un sourire presque sincère :

— Salut, les garçons ! C'est bon, Mathis, je peux y aller ?

Cette brillante psychologue reconvertie en ostéopathe prend toujours soin de cerner l'atmosphère d'un lieu avant d'y déposer l'un de ses enfants. Simple déformation professionnelle.

— Oui, Sylvie.

— Pardon ?

— Oui… maman, marmonne-t-il entre ses dents.

— Bon.

Avec un sourire maintenant parfaitement sincère, elle ajoute :

— Quand tu vas vouloir que je vienne te chercher, t'auras juste à m'envoyer des signaux de fumée… Ou trois petits coups de tambour, tiens, c'est plus écolo !

— Euh…

Mathis commence à être vraiment embarrassé par la tournure de la conversation. Il connaît sa mère et il sait très bien où elle veut en venir…

— C'est ce que les gens font quand ils n'ont pas de cellulaire, non ?

Et elle repart au volant de sa voiture hybride en laissant derrière elle les cinq jeunes, confus. Xavier se retourne vers Mathis. On pourrait presque voir un énorme point d'interrogation gravé sur son front :

— Qu'est-ce qu'elle voulait dire, ta mère ? Les signaux de fumée, les tambours pis toute ?

Mathis secoue la tête, découragé.

— J'sais pas ! C'est genre une de ses vieilles blagues de hippie… Sylvie comprend trop rien à la technologie ! Elle pense que le monde irait pas mal mieux sans toutes les… euh… ben, les inventions modernes.

— Quoi ? Désolé de te dire ça, Mat, mais ta mère est folle ! Et toi aussi, t'es barge si t'es de son avis. Parce que moi, je ne pourrais plus vivre sans mon iPhone !

Fabrice a l'agaçante manie de prononcer le « i » de iPhone à la française, ce qui a pour conséquence d'irriter ses amis. L'échalote française sort son téléphone de sa poche pour la millième fois de la journée, histoire de l'admirer. Sam éclate de rire.

— On sait ben, toi : monsieur Je-me-la-pète-avec-mes-gadgets-de-luxe !

Sam se tourne vers Mathis et demande :

— Pis ? Content d'être de retour parmi nous ?

Mathis ne répond pas, perdu dans ses pensées sur fond de reggae dominicain. Il écoute la même chanson, en boucle, depuis son retour de voyage. Mathis se contente de hocher la tête au rythme de sa musique en souriant bêtement.

— Hé, le brûlé, je te parle ! Ton voyage, c'était comment ?

Mathis vient tout juste de revenir de ses vacances sur l'île d'Hispaniola. Durant un mois, il a foulé les plages, chevauché les vagues et sillonné les skateparks de son pays natal, la République dominicaine. Il s'est même aventuré jusqu'aux frontières d'Haïti, insistant pour accompagner Rodrigue, son père adoptif, dans sa livraison de denrées-équitables-non-périssables-limite-non-mangeables (selon l'opinion de Mathis, et non selon l'opinion générale).

Il est de retour au Québec depuis déjà deux jours. Mais… sa tête est restée sur l'île d'Hispaniola, et son cœur, échoué quelque part sur l'une de ses plages paradisiaques…

Sam attend toujours une réponse. Et il commence vraiment à s'impatienter. Il décide de claquer des doigts devant le visage de Mathis pour le faire revenir sur terre. Avec eux. Au skatepark de Rawdon. L'effet est instantané :

— Hein, quoi ? Mon voyage ?

— Ouais ! C'était comment, la République ?

— Ah, c'était juste trop *sick* ! J'ai rencontré plein de musiciens débiles pis des skateurs vraiment trop forts. Ils m'ont appris des *tricks** de malade ! J'ai surfé avec de vrais pros… Pis… euh… ben… c'est pas mal ça, là !

Ce que Mathis ne dit pas, c'est qu'il a surtout surfé avec une fille en particulier, Flora, une jolie Dominicaine avec qui il a passé le plus clair de ses vacances à se battre dans les vagues. À rire des gros touristes bien rôtis dans leurs Speedo défraîchis et trop petits. À boire du lait de coco à même la coque, jusqu'à ce que ça leur sorte par le nez et qu'ils soient pris d'un nouveau fou rire. À profiter du soleil, de la mer, de la plage. Ou de la vie. Tout simplement.

Mais il ne peut quand même pas raconter ça à ses amis ! Si ça venait à se savoir, Mathis passerait pour le dernier des épais, pour le plus sentimental des crétins !

Heureusement pour lui, ses amis ne se doutent vraiment pas qu'il est… un grand romantique.

C'est comme ça, il n'y peut rien. Il suppose que son petit côté sentimental lui vient de ses parents biologiques. Les Dominicains sont réputés pour avoir le sang aussi brûlant que leur climat tropical. Les histoires langoureuses de cœurs qui s'enflamment, ça les connaît. Suffit de comparer un Dominicain anonyme au célèbre *latin lover* Enrique Iglesias pour que le pauvre chanteur passe pour un vulgaire glaçon. C'est tout dire ! Quoi qu'il en soit, son côté sentimental, Mathis ne l'a certainement pas hérité de Rodrigue (son père adoptif), qui est à peu près aussi romantique qu'une poubelle en plastique.

Parlant de poubelle, Samuel s'empare du contenant à déchets de métal laissé à la disposition des skateurs du parc. Il s'agit d'une sorte de tonneau de métal tout cabossé, manifestement plus utilisé en tant que module que pour remplir sa fonction initiale. La preuve : la poubelle est presque vide, hormis quelques emballages de Mister Freeze et un vieux papier-mouchoir. Le petit frisé fait basculer la poubelle à l'horizontale, puis va la placer devant un plan incliné. L'installation est sommaire, mais suffisante pour prendre l'élan nécessaire afin d'exécuter un saut. Il tend sa propre planche à roulettes à Mathis.

— Si t'as tripé tant que ça avec tes bronzés, montre-nous donc ce que t'as appris ! On veut voir ce que t'as dans le ventre.

— Ouais, c'est vrai, ça ! On veut un *frontside flip** au-dessus de la poubelle. Rien de moins.

— Avec plaisir… Mais venez pas vous plaindre après, quand vous serez jaloux de mes nouveaux *skillz*[4] !

Pendant qu'il se dirige len-te-ment vers le module incliné, Mathis réalise à quel point il est heureux d'être de retour en ville. De retrouver ses frères de sueur, ses amis *riders*. C'est vrai. Il s'est ennuyé des gars (pas autant qu'il s'ennuie de Flora en ce moment, mais quand même).

Ses vacances en République dominicaine sont peut-être finies, mais l'été est loin d'être terminé.

Encore une petite semaine pour profiter de leur liberté. Et pour Mathis, skate + musique = liberté…

Il prend son élan LEN-TE-MENT… et s'envole, de la musique plein les oreilles.

4 Habiletés, prouesses. Dans le langage urbain, l'orthographe du mot anglais « *skills* » est parfois légèrement modifiée pour « *skillz* », notamment dans le domaine du skateboard.

5

31 août, 17 h 22

À : Lea_savoie@hotmail.com
De : Annabillabong_16@hotmail.com
Objet : RÉPONDS-MOI !

Léa ! ! !

T'es où ? Pourquoi tu réponds pas au téléphone ? J'arrête pas de t'appeler sur ton cell ! J'ai même essayé chez toi, mais je tombe toujours sur le répondeur... Argh ! ! ! J'ai vraiment besoin de te parler ! J'imagine que t'es au parc avec Thomas pis Zoé... si tu savais comme je t'envie !

De mon côté, je commence de plus en plus à stresser. Demain, c'est ma première journée d'école à Rat-Dune, tu te souviens ? Hier, je suis allée faire un tour à la polyvalente avec mes parents parce qu'il fallait que je remplisse un formulaire sur mes aptitudes en snow... J'ai pas eu le temps de te raconter (t'avais l'air super-pressée quand on s'est parlées sur MSN en soirée), mais la directrice est vraiment bizarre... Elle est comme TROP gentille, c'est louche ! Lol ! ;-)

Je ris, mais dans le fond, c'est tellement pas drôle ! Pour vrai, Léa, je m'ennuie tellement de toi ! (Et un peu des autres aussi.) Je connais personne, ici, à part ma directrice pis les espèces de vieux frustrés qui habitent à côté de chez nous. C'est pathétique, non ?

Bon. C'est normal, je sais, je viens juste d'arriver... mais quand même, c'est pas juste ! ! ! Je t'entends déjà me dire de voir le bon côté des choses, alors je me suis déjà préparé une réponse :-P

Seuls points positifs de ma nouvelle vie : Depuis qu'on est ici, ma mère et mon beau-père me laissent faire TOUT ce que je veux. Je suis même pas obligée de garder Camille pis Jules, c'est ma mère qui s'en occupe ! Haleine, lui, passe tout son temps à son nouveau cabinet. Bon débarras ! Je peux passer mes journées au skatepark à pratiquer mes nouveaux tricks... toute seule (j'ai toujours pas revu les cinq gars dont je t'avais parlé). En plus, c'est comme évident que ma mère se sent mal pour le déménagement : elle a pratiquement doublé mon argent de poche !
Tu vois, j'essaie d'arrêter de me plaindre pour pas que tu te cherches une nouvelle Best plus optimiste. LOL.

Si tu prends mon message, appelle-moi sur mon cell !

JTM
A. xoxoxo

P.-S. Encore merci pour la boîte de souvenirs ! ! ! Je viens les yeux pleins d'eau chaque fois que je la regarde (c'est juste trop beau ce que t'as fait ! ! !), mais j'imagine que, bientôt, je vais pouvoir relire nos lettres pis regarder nos photos sans me mettre à pleurer comme un bébé ! En tout cas, j'espère... Ha ! Ha !

P.-P.-S.- WOW ! Je viens presque de t'écrire un roman... ça paraît que j'ai pas de vie ! As-tu pitié de moi ? Même un tout petit peu ?

*

— Allez, relève-toi !

Sam se réveille brusquement. Il a le visage confus de celui qu'on aurait surpris en flagrant délit d'extrême décrottage de nez. Il aurait juré avoir entendu quelqu'un parler, mais qui ? Sa chambre est vide… à l'exception :

– de son ordinateur ;
– de sa télévision préhistorique ;
– de sa planche à neige qui prend la poussière sur son mur ;
– de sa planche à roulettes qui ramasse la poussière dans son placard ;
– de son désordre spectaculaire (digne d'un cataclysme) ;

– de ses meubles aussi encombrés que dépareillés ;
– de sa colonie d'acariens domestiques ;
– et de lui-même, évidemment.

À bien y penser, sa chambre n'est pas si vide que ça. Pourtant, mis à part lui, nulle trace d'adulte ni de spécimen humain quelconque. En revanche, sa télé est allumée. À l'écran, Samuel voit son *alter ego* de jeux virtuels, Sam Shikott, qui se tord de douleur. Il semblerait que le skateur professionnel qu'il a créé à son image se soit blessé à cause de lui. C'est ce qui arrive lorsqu'on s'endort en jouant à des jeux vidéo ! Samuel se souvient de s'être étendu au sol pour se reposer un instant, puis plus rien. Il réalise que sa joue gauche est littéralement en feu.

Il faut dire qu'il s'est assoupi à même le sol, la balance de sa console Wii en guise d'oreiller. Côté confort, on repassera. La surface granuleuse de la balance est d'ailleurs imprimée sur sa joue, rougie par une posture aussi peu… douillette.

Quiconque le verrait à cet instant précis penserait qu'il s'est battu toute la nuit contre une tapette à mouches démoniaque, ce qui n'est pourtant pas le cas. Comme quoi, les yeux peuvent parfois jouer de vilains tours…

Sam le sait bien. Il est daltonien. Devant ses yeux, les couleurs se confondent. Le brun chocolat devient rouge, le vert gazon devient orange, et le bleu… reste bleu.

Mais Sam n'est pas du genre à s'en faire pour un aussi petit défaut de fabrication ! Après tout, ça ne fait pas de lui une bête de foire pour autant. Il est même plutôt content de voir le monde différemment de… euh… de tout le monde, finalement !

Un mouvement de l'autre côté de la porte de sa chambre attire son attention. Sûrement son père qui se dirige vers les toilettes pour faire son petit pipi du matin.

Son réveil Homer Simpson indique 6 h 32.

Pile l'heure à laquelle ses parents se lèvent tous les matins, qu'on soit lundi, jeudi ou dimanche. Selon Sam, cette habitude parentale est extrêmement louche, au même titre que leur penchant douteux pour les quiz télévisés et leur manie de se bécoter sans gêne devant lui, sous prétexte qu'il est « assez vieux pour comprendre. » Ils se trompent.

En fait, s'il pouvait choisir, Sam ferait la grasse matinée jusqu'à midi tous les jours.

Malheureusement, aujourd'hui n'est pas une journée comme les autres. Eh non ! Il est obligé de se lever tôt parce que c'est… la rentrée scolaire. La fin des vacances, quoi ! Samuel a envie de vomir juste d'y penser.

Mais ce n'est pas le moment de dégueuler.

Il aurait plutôt intérêt à éteindre sa télévision et à se faufiler dans le confort de ses draps avant 6 h 40, heure à laquelle son alarme retentira… ce qui donnera à sa mère un prétexte suffisant pour s'introduire dans sa chambre, et ce, même si celle-ci est sauvagement gardée par sa féroce troupe d'acariens.

Sam décide d'en profiter pour maximiser ses dernières minutes de repos avant le début du cauchemar scolaire. Il se glisse dans son lit et se rendort.

Comme de fait, à 6 h 40 tapant, l'alarme retentit.

B U R P B U U U R R P P B U U U U U U U U U U U U R R R P P P

Homer qui rote. Ha-ha-hark ! Pas de quoi faire passer l'envie de vomir. Au moins, son alarme a l'avantage de faire passer son envie de dormir… en le faisant rire !

B U U U U U U U R R R R R R R R R R R-RRRRRRPPPPPPPPPPPPPPPP

Louise entre dans la chambre de son fils en dissimulant mal son haut-le-cœur. Pour une raison que Sam ignore, sa mère n'a jamais apprécié les Simpson à leur juste valeur.

Elle s'approche du lit pour plaquer un bisou sur le front de son garçon, désormais garni de gros boutons comme une belle télécommande multifonctions. (Ah ! les joies de la puberté !)

Comment se fait-il qu'un rot de réveille-matin indispose sa mère, si elle est parfaitement disposée à embrasser de l'acné ? Mystère…

— Habille-toi, mon trésor, et viens nous rejoindre à la cuisine. Je t'ai préparé ton déjeuner préféré !

— Mmmouais, c'est beau, m'man… J'arrive.

Elle sort de la chambre après lui avoir adressé un clin d'œil complice. Ouf ! ça veut dire qu'elle n'a pas remarqué sa joue endolorie et qu'elle n'a donc pas fait le lien avec la Wii.

Samuel serait prêt à mettre sa main au feu que le petit-déjeuner en question est une pile de crêpes choco-bananes, bien épaisses et bien grasses… ce qui, soit dit en passant, est le repas préféré de son frère Christophe, et non le sien. Enfin, bref. C'est déjà nettement mieux que le gruau dégueulasse que sa mère avale tous les matins.

Sam s'extirpe péniblement de son lit, pige un pantalon et un chandail au hasard au sommet d'une pile de vêtements laissés pêle-mêle. Il les enfile en vitesse avant d'aller rejoindre ses parents à la cuisine.

Posée sur son napperon, une belle pile de crêpes choco-bananes — bien épaisses et bien grasses — l'attend. Sa mère est tellement prévisible ! Elle a horreur de tout ce qui entre dans la catégorie nouveauté, changement, spontanéité.

À table, les places sont prédéterminées, comme à l'école : son père, à l'extrémité de gauche ; sa mère, à l'extrémité de droite ; Samuel, dos à la porte-fenêtre ; et Christophe, dos au petit îlot. D'ailleurs, la place de Christophe est vide.

— Il est où, Chris ?

— Samuel, je t'ai déjà dit de ne pas appeler ton frère comme ça ! C'est tellement… vulgaire ! Les gens vont penser que je t'ai mal élevé.

Samuel fait semblant de scruter les alentours à la recherche de témoins potentiels.

— Quels gens ?

— Ah ! tu comprends ce que je veux dire !

— Bah… Il est où Chris-to-phe, d'abord ?

— Ton père et moi, on a décidé de le laisser dormir un peu. Ses livres pour les cours à distance ne sont pas encore arrivés. Ça fait qu'il va devoir attendre quelques jours avant de commencer sa session de cégep.

— C'est pas juste ! Moi non plus, j'ai pas reçu mes livres. Est-ce que ça veut dire que je peux retourner me coucher, moi aussi ?

(Ce serait vraiment trop beau pour être vrai !)

Son père relève enfin les yeux de son journal — section sport — pour toiser son fils de son faux regard sévère.

— C'est pas justement pour aller chercher tes livres que tu vas à l'école aujourd'hui ?

— Ben justement ! C'est tellement cave de nous faire déplacer juste pour ça quand il existe la poste !

— Bon, Samuel, arrête de rouspéter pis mange, dit sa mère. Si tu veux que j'aille te reconduire à l'école, va falloir que tu sois prêt dans dix minutes.

— Non, c'est beau. Je vais prendre le bus avec BD.

— Ah ! le beau grand Loïc. C'est tellement un bon petit gars ! Tu devrais prendre exemple sur lui. Il est vraiment...

Blablabla...

Samuel n'écoute déjà plus. Il préfère engloutir ses crêpes d'une seule bouchée en mastiquant bien fort plutôt que d'écouter sa mère vanter les mérites de son meilleur ami. De toute façon, il connaît le discours de sa mère au mot près pour l'avoir entendu minimum 6 742 827 fois. Tous les parents ADORENT Loïc Blouin-Delorme, alias BD, parce que c'est un garçon sage et posé.

En apparence.

Dès que les parents de ses amis ont le dos tourné, Loïc redevient tout aussi tannant que le reste de sa petite bande. Comme quoi les apparences sont souvent trompeuses.

— ... lui, au moins, il réfléchit avant de parler. Il ne fait jamais de farces plates ni de mauvais coups. Pis il ne se retrouve jamais...

— Au bureau de la directrice, je sais. C'est beau, m'man, j'ai compris. Mais, là, il faut vraiment que je parte !

— T'as l'air d'un épouvantail. Tu vas aller te changer avant de partir, j'espère ?

— Ouuuiii, m'man. (Dans tes rêves !)

Cinq minutes plus tard, Samuel sort de la maison. Il a brossé ses dents, salué ses parents, ramassé son sac à dos et sa planche. Mais il ne s'est pas changé.

Sam monte sur sa planche à roulettes et dévale l'allée du garage.

Il tourne sur la petite rue déserte, la tête embrumée par son manque de sommeil. Puis…

BADABING ! Oooooouuuuuch !

BADABANG ! Ayoooooooye !

Sans trop savoir comment ni pourquoi, Sam se retrouve étalé sur l'asphalte après avoir fait une pirouette digne d'un ninja maladroit. Sa planche continue de rouler seule dans la rue Notre-Dame, comme guidée par un skateur fantôme.

Au bout de quelques mètres à peine, un petit pied l'arrête. Derrière l'auto sport parfaitement astiquée par ses voisins maniaques, Samuel aperçoit la frimousse haïssable de Coralie, la fille de neuf ans des maniaques en question. Un sourire triomphant aux lèvres, la fillette abandonne sa cachette pour aller ramasser la planche de l'adolescent en lui balançant un « oups ! » hypocrite.

Sam remarque enfin la fine corde à danser tendue à l'horizontale d'un côté à l'autre de la rue. Coralie en tient une extrémité tandis que l'autre est attachée à un panneau de signalisation.

N'importe qui aurait remarqué la corde à danser bien avant d'aller se foutre dedans. Mais Sam n'est pas n'importe qui. Il est daltonien. Et la fameuse corde est justement d'une couleur indescriptible (à ses yeux). Une couleur qui se fond merveilleusement bien dans l'environnement.

Coralie est une petite futée, ce qui ne l'empêche pas d'être aussi une grande baveuse.

Sam fulmine de rage. Il repousse sa petite voisine et lui arrache son skate des mains.

— Tu vas me le payer cher, Coralie Beaupré !

Il fait glisser son pouce en travers de son cou pour lui signifier que sa vengeance sera des plus cruelles (mouahahahaha !) Sam s'éloigne sur sa planche en jetant un dernier regard menaçant à sa voisine. L'adolescent a déjà atteint le coin de la rue quand la fillette se décide à répliquer :

— Ouuuuhh ! J'ai peur !

Son ton est sarcastique, mais son expression l'est moins... L'assurance de la petite baveuse en herbe vient d'en prendre un coup ! Connaissant Samuel, Coralie sait parfaitement qu'il n'hésitera pas à lui rendre la monnaie de sa pièce. Après tout, leurs querelles de voisinage sont devenues légendaires dans le petit village de Saint-Alphonse-Rodriguez.

Alors que les pelouses orangées[5] défilent de chaque côté et qu'il roule comme un fou furieux en direction de chez BD, Samuel continue de se poser la même question en boucle : « Pourquoi est-ce que les filles sont aussi connes / insupportables / fatigantes / stupides ? »

Il n'a toujours pas trouvé de réponse à sa question au moment où il arrive chez Loïc, mais il se promet de continuer à y réfléchir plus tard. Sam s'introduit dans la demeure des Blouin-Delorme sans même prendre la peine de frapper.

Il fait comme chez lui. Comme d'habitude.

5 Selon sa perception des choses... Comme quoi, le gazon n'est pas toujours plus vert chez le voisin !

Sans même avoir à ouvrir l'œil, Annabelle sait d'avance que Boots est confortablement calé au-dessus de sa tête, étalé de tout son long sur l'oreiller.

C'est comme ça tous les matins depuis qu'ils ont emménagé dans leur nouvelle maison.

Et tous les matins, le petit félin attend le réveil de sa maîtresse pour quêter sa dose quotidienne de caresses. L'habitude de Boots a d'ailleurs laissé ses traces sur la taie d'oreiller, qui est maintenant plus poilue que le chat lui-même. Selon Annabelle, il est évident que son minet était une tuque ou un casque de bain dans une vie antérieure. Sinon comment expliquer une telle obsession pour les têtes, tous types de cheveux confondus ?

Annabelle décide d'accorder quelques minutes de mamours à sa petite bête adorée avant de sauter sous la douche. Avant d'avoir à affronter la journée la plus pénible du reste de sa vie.

Si elle a survécu au déménagement, et surtout aux déménageurs, Annabelle est loin d'être aussi convaincue de survivre à la rentrée scolaire dans sa nouvelle école.

L'école des Cascades de Rawdon. YARK !

Aux oreilles d'Annabelle, le nom de l'établissement sonne comme une marque de papier hygiénique ! Il faut dire que n'importe quel nom l'aurait dégoûtée. L'école aurait pu s'appeler la Super Polyvalente Zac-Boots-&-Cie, ç'aurait été du pareil au même. Elle n'a pas envie de fréquenter une nouvelle école. Point.

Bon. Il est vrai que l'établissement offre un programme de sport-études en concentration ski/planche, ce qui est plutôt rare. Et aussi plutôt cool. Mais la saison d'hiver ne débutera pas avant plusieurs mois, alors à quoi bon commencer à s'énerver le poil des jambes pour ça ?

D'ailleurs, il faudrait vraiment qu'Annabelle se rase les jambes si elle ne veut pas avoir l'air du yéti dans son petit short kaki.

Elle donne un dernier bisou mouillé sur la tête poilue de Boots et s'empare de sa pile de vêtements « fin du monde » spécialement préparée pour sa première journée d'école.

Quand on emménage dans une ville où on ne connaît personne, on a vraiment beaucoup trop de temps pour penser à des détails insignifiants du genre « comment je vais m'habiller ? » ou « est-ce que le yéti oserait vraiment porter des shorts kaki ? »

Annabelle est bien placée pour le savoir. (Sinon, elle n'aurait pas passé le dixième d'une nanoseconde à lire l'article « Une rentrée Top Fashion ! » dans le stupide magazine que sa mère lui a acheté « histoire d'encourager sa fille à se féminiser ».)

Alors qu'elle s'apprête à sortir de sa chambre, elle aperçoit la minuscule tête ébouriffée de Jules dans l'embrasure de la porte. Sans même attendre d'être invitée à y entrer, la mini-tornade de sept ans envahit la pièce en détruisant tout sur son passage. Il devrait pourtant savoir qu'il est très risqué de contrarier sa grande sœur le matin...

— JULES ! Combien de fois va falloir que je te dise de cogner avant d'entrer dans ma chambre ? T'es Alzheimer ou quoi ?

— Alzaille quoi ? demande-t-il avec ses grands yeux de chiot idiot, somme toute attendrissants.

— Ah ! laisse faire ! Sors de ma chambre, c'est tout ce que je te demande.

— C'est juste que papa veut savoir...

— Papa ? Pourquoi tu l'appelles toujours « papa » ?!

— Camille l'appelle comme ça, elle.

— C'est parce que C'EST son père !

Malgré ses sept ans bien sonnés, Jules éprouve encore de la difficulté à comprendre le concept de « famille reconstituée »...

Ce n'est pourtant pas si compliqué : Annabelle et Jules ont le même père (Benoît) et la même mère (Jeanne). Camille, trois ans, est le fruit du remariage de Jeanne avec Alain, ce qui fait d'elle la « demi-sœur » d'Annabelle et de Jules, bien qu'elle soit une petite fille à part entière, et non une espèce mutante avec un demi-corps.

Jules demande, de sa toute petite voix de chiot piteux :

— Pa... euh... Alain veut savoir si tu vas prendre ta douche, parce qu'il a besoin de la salle de bain.

— Ben, tu diras à Pas-Alain que la prochaine fois qu'il aura quelque chose à me demander, qu'il le fasse lui-même au lieu de m'envoyer un petit morveux comme messager.

— Je ne suis pas un petit morveux !

— Non, c'est vrai. T'es un petit nul. Jules-le-nul ! dit-elle en sachant pertinemment que ce surnom fait pleurer son jeune frère à tous coups.

— MAMAAAAAAAN... (Et voilà !)

La petite tornade quitte la chambre à la vitesse où elle y est entrée. Jules est sans doute allé trouver du réconfort dans les jupes de sa mère, ce qui n'est qu'une façon de parler, puisque Jeanne ne sort ses robes ou ses belles jupes que pour les occasions très, très spéciales.

Annabelle soupire de soulagement. Enfin seule.

Un peu trop, même...

Elle n'arrive toujours pas à se faire à l'idée que, pour la première fois de sa vie, elle devra affronter une rentrée scolaire sans Léa, sa meilleure amie.

Léa et Annabelle se sont connues à la garderie à l'âge de huit mois, alors qu'elles n'étaient encore que deux bouts de chou avec à peine quelques poils sur le caillou. D'ailleurs, « Léa » a été le premier mot prononcé par Annabelle, ce que sa mère a toujours considéré comme une insulte suprême. Selon elle, les enfants « normaux » savent dire « maman » ou « papa » bien avant de savoir prononcer le nom de leurs amis ! Et puis, quel genre de bébé peut se vanter d'avoir déjà une *best friend* aux couches ?

D'aussi loin qu'elles s'en souviennent, Annabelle et Léa ont toujours tout partagé, même les secrets les plus embarrassants. SURTOUT les secrets les plus embarrassants. Comme la fois où Annabelle a souhaité « bonne fesse… euh… bonne fête ! » au plus beau gars de l'école. Pour la soutenir, Léa avait alors ajouté : « Ouais ! Joyeux anni-derrière… euh… anniversaire ! »

Léa trouve toujours les mots justes pour la rassurer, pour lui faire sentir qu'elle n'est pas la seule à se mettre les pieds dans les plats.

C'est pourquoi Annabelle décide de lui envoyer un texto, histoire de trouver le courage nécessaire pour affronter cette journée, qui s'annonce déjà horrible. Elle pianote habilement sur le petit clavier de son téléphone cellulaire, malgré les touches microscopiques qui semblent davantage destinées à l'usage des fourmis que des humains.

« SOS. Début de la torture dans… 62 min ! »

En une minute top chrono, la réponse lui parvient. Vive la technologie (et vive Léa) !

Dans son message, son amie lui dit de ne pas s'inquiéter, que tout va bien aller. Elle promet de lui téléphoner en fin d'après-midi pour qu'elles se racontent tous les potins de la journée.

« Pff ! ça, c'est SI je survis d'ici la fin de l'après-midi ! » se dit Annabelle en posant un regard larmoyant sur la boîte de souvenirs confectionnée par sa *best*, placée en évidence sur sa commode.

Sa sonnerie *Do it like a Dude* de Jessie J. lui indique qu'elle vient tout juste de recevoir un nouveau message. C'est encore Léa : « P.-S. : OUI, tu vas survivre ! ☺ xxx »

Léa la connaît TROP bien. C'est comme si leurs deux têtes étaient reliées par un fil invisible. Un looooooooong fil qui partirait de Pont-Rouge jusqu'à Rat-Dune et qui leur permettrait de rester connectées en permanence.

Alors, aussi bien en profiter.

Annabelle choisit de programmer son cerveau en mode « Léa ». Son objectif de la journée : se forcer à ne voir que le bon côté des choses.

À vos marques… prêts… PENSEZ (positif) !

7

Les Blouin-Delorme sont tous attablés autour d'un déjeuner copieux : œufs, bacon, pain rôti, cretons et saucisses de chez Staner[6]. Un vrai festin d'ogres.

Sam connaît Loïc depuis la maternelle. Pourtant, il a l'impression qu'il ne s'habituera jamais à le voir entouré de ses trois frères et de son père parce que… les garçons de la famille Blouin-Delorme sont tous des copies conformes de Michel, leur paternel. Dur de renier leurs liens de parenté : mêmes cheveux foncés et drus, mêmes yeux marron en amande, mêmes traits virils et anguleux. En fait, seuls leur caractère et leur taille varient… un peu comme les frères Dalton !

Ce n'est pas pour rien que Loïc nourrit une telle passion pour la bande dessinée, d'où son surnom : BD. Bon… Il a peut-être commencé à s'intéresser à l'univers de la bédé avec des albums bien plus « bébés » que les péripéties de ce bon vieux Lucky Luke… comme celles de Caillou, de Bob l'éponge et de Bug's Bunny. Mais cette information compromettante doit absolument rester entre vous et lui !

---

6 La boucherie charcuterie belge Maison Staner existe à Saint-Alphonse-Rodriguez depuis 1975.

Ce qui est le plus étrange chez les Blouin-Delorme, c'est que les prénoms des quatre frères commencent tous par un « L » : Lucas, Loïc, Ludovic et Laurent. Tant qu'à rester dans la ressemblance !

Ludovic, seize ans, est sans contredit le plus délinquant et le plus déplaisant des quatre frères. Il se fait d'ailleurs un plaisir de se moquer de Sam chaque fois que ce dernier met les pieds chez eux. Et cette fois-ci ne fait pas exception à la règle.

En continuant de mastiquer sa rôtie-cretons-saucisse-moutarde, Ludovic lui balance :

— Hé, le punk, t'es-tu regardé dans le miroir avant de sortir de chez toi ? T'as l'air d'un pouilleux !

Les vêtements pigés au hasard par Samuel consistent en un long t-shirt rayé noir, rouge et blanc enfilé par-dessus des pantalons cargos à carreaux bleus, bruns et verts. Il porte aussi sa casquette préférée, une Vans jaune et verte garnie d'un filet à l'arrière.

Bref, l'ensemble offre une migraine assurée à quiconque l'observe trop longtemps alors qu'il est en mouvement. Sam hausse les épaules d'un geste nonchalant (ouch ! migraine !), puis répond à Ludovic :

— Ouais pis ? Toi, t'as ben l'air d'un primate, pis on n'en parle pas !

Michel décide de laisser les deux garçons se défier. Il a pour son dire que « les moqueries forgent le caractère ». Et puis, Sam fait pratiquement partie de la famille. Il est donc tout à fait normal qu'il contribue à cet endurcissement, au même titre que ses propres enfants.

Ludovic se contente de rire méchamment en réponse au commentaire de Samuel, se disant qu'il ne perd rien pour attendre, le p'tit. S'il a tendance à jouer les gros durs, il attend généralement l'absence de son père pour mettre à exécution ses pires châtiments.

Loïc a englouti son déjeuner dans le temps de le dire. Un peu plus et il mangeait aussi son assiette. Il choisit plutôt d'aller la ranger dans le lave-vaisselle après l'avoir rincée dans l'évier. Si elle le voyait faire, la maman de Sam ne manquerait certainement pas de dire : « Mon Dieu, qu'il est bien élevé, ce petit gars-là ! Ce n'est pas mon Samuel qui ferait ça ! En tout cas, on peut dire que le beau grand Loïc… »

Blablabla… Mais comme elle n'est pas là, à quoi bon en parler ?

Loïc annonce à Sam qu'il doit aller chercher son sac d'école dans sa chambre. Il les rejoindra, ses frères et lui, à l'arrêt d'autobus.

Dans la chambre qu'il partage avec son petit frère Lucas, Loïc attrape son sac, caché parmi les minous de poussière sous son lit. Avant de quitter la pièce, son regard s'attarde sur la photographie prise durant une mémorable journée de pêche en famille, il y a près de dix ans. Avec sa tignasse brune et ses yeux marron, l'enfant pleurnichard qu'on voit sur la photo dans les bras de sa mère pourrait être n'importe lequel de ses frères. Facile de s'y tromper, avec des traits aussi communs! Pourtant, il s'agit sans contredit de Loïc à l'âge de trois ans, alors qu'il venait de perdre sa première bataille contre les voraces mouches noires de la région. C'était au Lac des Français de Saint-Alphonse, quelques mois à peine avant que Sophie succombe à un cancer du sein. Impossible pour lui d'oublier la douleur instantanée provoquée par la morsure, tout comme il lui est impensable d'oublier la douleur qui l'a assailli, à retardement cette fois, à la mort de leur mère. Le douloureux souvenir de cette journée de « pêche à la mouche » restera, tout comme le départ de Sophie, à jamais gravé dans la mémoire de Loïc…

Pour lui, les deux événements sont étrangement liés pour l'éternité.

Depuis, il s'assure toujours de bien commencer la journée en saluant silencieusement le portrait de sa mère, à tout jamais figé dans le temps. Ce geste est devenu son petit rituel secret, bien qu'il soupçonne son père et ses trois frères d'avoir développé leurs propres mécanismes de défense pour empêcher le souvenir de Sophie de s'évanouir avec les années.

Le cœur lourd comme une tonne de briques, Loïc sort retrouver Samuel, Lucas et Ludovic à l'arrêt d'autobus. Il ne peut s'empêcher de penser à toutes les choses bien plus excitantes qu'il pourrait faire aujourd'hui plutôt que de se rendre à l'école pour récupérer son horaire, son agenda et ses manuels scolaires.

Par exemple, il aurait pu :

- aller regarder Sam, Mathis et Xavier se péter la gueule sur les modules du skatepark de Rawdon ;
- continuer sa bande dessinée en chantier (sur le mur du skatepark) ;
- aller taquiner la truite mouchetée avec son père ;
- aller taquiner les *twits* du village avec Sam et ses pétards à mèche.

À bien y penser, il aurait même préféré faire le ménage de sa chambre et nettoyer les toilettes plutôt que de s'enfermer dans les locaux déprimants de la polyvalente.

Heureusement, la commission scolaire a eu la brillante idée d'organiser une rentrée en douceur pour ses élèves ; deux demi-journées qui leur permettront de profiter encore du beau temps jusqu'au début officiel des cours, lundi prochain.

Dehors, le soleil s'étire paresseusement dans la petite rue de campagne. Si Loïc avait une âme de poète, il trouverait ça beau. Mais ce n'est pas le cas.

Loïc rejoint ses deux frères et son meilleur ami au moment même où Marion Potvin atteint le coin. En principe, elle devrait prendre l'autobus à son arrêt, situé deux rues plus loin. Sauf qu'à son arrêt, il n'y a que des « p'tits jeunes » de première secondaire et que Marion a une pressante envie de raconter ses vacances d'été à n'importe qui... de son âge. Et comme sa meilleure amie Chanel habite tout près de l'école (soit à des années-lumière d'ici), Marion est obligée de se chercher des « bouche-trous d'autobus ».

Marion passe sa vie dans l'ombre de Chanel, collée à elle comme un petit chien de poche. Et ça lui plaît. Se faire cacher du soleil par la fille la plus populaire de l'école, c'est un peu comme avoir un parasol en cristal. Le luxe total !

Et dès que Chanel, sa « sœur siamoise », n'est pas dans les parages, Marion se sent un peu... toute nue, comme s'il lui manquait quelque chose d'important.

Une partie de son cerveau.

Ou...

Un bras (le droit, de préférence. Marion est gauchère).

Ou…

Pire : son *lipgloss* !

Alors, elle éprouve un urgent besoin de se retrouver en bonne compagnie, et l'arrêt des Blouin-Delorme est le lieu idéal puisque Loïc s'y trouve. L'admiration secrète de Marion pour BD n'est plus un secret pour personne, sauf pour Loïc lui-même. Marion est raide dingue (ou plutôt raide dinde) de lui. Même si elle fait de gros efforts pour le cacher, ça saute aux yeux. En fait, elle le dévore tellement des yeux qu'ils ont l'air de vouloir bondir de leurs orbites pour sauter au cou de Loïc. Vraiment inquiétant.

Mais… c'est plus fort qu'elle.

Elle le trouve TELLEMENT « bôôôôô » ! Et TELLEMENT silencieux !

Aux yeux de Marion, Loïc est encore mieux qu'une vedette d'Hollywood : aussi *cute*, mais pas mal plus accessible ; aussi cool, mais pas mal moins prétentieux. Il est un peu comme un acteur sans ses répliques. Ou comme une personnalité publique… sans la personnalité !

Pourtant, les sentiments de la petite brunette pour Loïc sont loin d'être réciproques.

— Salut, les gars ! dit-elle en battant des cils à l'intention de BD qui, lui, préfère détourner le regard dans l'espoir de passer inaperçu.

Loïc a l'habitude de se fondre dans le décor. Il est tellement timide, tellement effacé, que les gens oublient souvent sa présence. Mais pas Marion.

Silence… Voyant que personne ne lui répond, Marion se rapproche de Loïc, qui constate par le fait même que sa tentative de camouflage a échoué.

— Tu me dis pas salut, Loïc ?

— Euh… salut.

— As-tu passé des belles vacances ?

— Ouais. Pas pire.

— Moi aussi ! C'était complètement fou ! Mes parents nous ont amenées jusqu'en Floride avec l'auto. T'aurais dû voir comme elle était pleine. Ma sœur pis moi, on était comme étampées dans les vitres en arrière, tellement on avait de bagages. Il a fallu rouler pendant genre mille ans, mais finalement on est arrivés, pis ç'a vraiment valu la peine. C'est trop beau, la Floride ! Mes parents nous ont même offert une journée à Walt Disney ! Le parc de Magic Kingdom, c'était juste trop… magique, justement ! On a visité une maison super-hantée. J'arrêtais pas de sursauter pis de crier comme une folle. C'était tellement drôle ! Après ça, ben on est allés à la plage, c'est sûr. Ça se voit, non ? Tu trouves pas que je suis bronzée ? Chanel dit qu'elle est jalouse parce qu'elle a pas réussi à bronzer autant que moi, avec le camp de jour et tout. Je lui ai dit que, les crèmes autobronzantes, ça existe, t'sais. Mais, moi, j'ai pas besoin de ça pour avoir un beau teint. Je bronze facilement. Je pense que c'est à cause de mes ancêtres espagnols. (Marion Potvin est aussi hispanique que le Stade olympique.) En tout cas, je suis vraiment contente de recommencer l'école pour pouvoir montrer mes démarcations à tout le monde! Tu veux voir?

— Non, non. C'est correct.

— Dommage... Je suis sûre que t'aurais été impressionné. Peut-être pas autant que Chanel, mais...

— 'Scuse, Marion. J'ai... euh... oublié de dire quelque chose à Sam.

— Ah, OK...

Loïc se dépêche de rejoindre Samuel, occupé à pratiquer des *kickflips** peu concluants au beau milieu de la rue.

Un regard suffit pour que le frisé comprenne que son ami est désespérément venu quêter de l'aide.

— Désolé, BD, je peux rien faire pour toi. Va falloir que tu t'arranges tout seul.

— Comment?

— Je ne sais pas, moi... Dis-lui que t'as attrapé la gastro cet été, pis que c'est vraiment contagieux.

— Si j'étais vraiment contagieux, mon père ne me laisserait pas sortir pour aller à l'école.

— Dans ce cas-là, dis-lui que tu trouves que les filles, ça pue.

— Rapport ? On n'a plus cinq ans !

— Ben, arrange-toi avec tes troubles, d'abord ! réplique sèchement le petit frisé, agacé de se faire déconcentrer pour un problème d'une telle futilité.

— Ah ben merci, Sam. Toi, t'es un vrai chum.

Loïc n'est pas plus avancé. Il hésite à retourner auprès de Marion, ne sachant pas trop comment lui dire de façon polie que ses histoires l'emmerdent à l'extrême. La mère de Sam a raison : il est tellement (trop) poli ! C'est finalement l'autobus scolaire qui arrive en renfort, alors que le gros bolide jaune tourne le coin de la rue et ralentit à leur hauteur.

Le soupir peu subtil de BD parvient jusqu'aux oreilles de Marion qui, de toute façon, avait épié la totalité de leur conversation. Elle lui jette un regard de belette blessée avant de monter dans le bus jaune derrière Lucas, le plus jeune des Blouin-Delorme.

Loïc et Sam s'apprêtent à y grimper lorsque Ludovic les tire brutalement vers l'arrière en agrippant une des bretelles de leur sac à dos. Il se justifie d'un « priorité aux aînés ! », puis se faufile vers l'arrière du véhicule.

Les deux amis se regardent d'un air entendu : « C'est ça, ouais ! Vieux con... » Ils remontent dans l'autobus, mais, cette fois, Samuel s'en voit refuser l'accès par le chauffeur.

— Woh, woh ! Minute, mon p'tit gars. T'as pas le droit de monter dans l'autobus avec ta planche à roulettes.

— Hein ? Depuis quand ?

— Nouveau règlement.

— Ben là ! C'est ben laid comme règlement !

— Ah ça, c'est pas à moi qu'il faut que tu dises ça : c'est à madame la directrice. Pis c'est direct là que je t'envoie si t'as pas sorti ta planche de mon autobus dans les cinq prochaines secondes. Cinq. Quatre. Trois...

— OK, OK, c'est beau. J'ai compris !

Sam redescend du véhicule en bougonnant.

Il n'avait déjà pas envie d'aller à l'école, mais, là, c'est vraiment la goutte qui fait déborder le thermos !

Il court dissimuler sa planche derrière un buisson sur le terrain des Blouin-Delorme, puis repart vers l'autobus avec un pincement au cœur. Son pauvre petit skate chéri, tout seul parmi les mauvaises herbes. Sans défense.

Bah ! Ce n'est que pour quelques heures à peine. Il passera le récupérer en début d'après-midi...

Sam monte dans l'autobus en souriant au chauffeur de façon insolente. Il va rejoindre Loïc, calé dans la banquette la plus éloignée possible de Marion.

Après tout, malgré ses airs de poupée, BD et Sam la soupçonnent d'être aussi dangereuse que Chucky[7]...

Et si la stupidité féminine était encore plus contagieuse que la gastro ? Ils préfèrent ne pas courir le risque...

7 Poupée démoniaque possédée par l'esprit d'un tueur en série. Personnage culte des films d'horreur *Chucky*.

L'autobus jaune se vide comme une balloune d'eau percée. Flouch ! Les élèves se répandent sur le trottoir comme une vague humaine, tumultueuse et bruyante. La plupart se dirigent directement vers la cour d'école afin de retrouver leurs amis avant le début de la journée d'accueil.

Satisfaite de constater que sa cote de popularité n'a pas dégringolé durant l'été, Chanel bourdonne fièrement au cœur de sa ruche en attendant l'arrivée de sa fidèle « cruche ». Sans même un regard pour Loïc, Marion s'empresse d'aller rejoindre sa sœur siamoise en se frayant un passage parmi l'essaim d'admirateurs déjà agglutinés autour de Chanel, la reine de beauté de renommée municipale.

Loïc et Sam repèrent Xavier qui marche en direction de la polyvalente, l'air hébété. Ils décident d'attendre sur le bord du trottoir, le temps que le Roux les rattrape.

Quand Xavier est suffisamment près, les trois amis exécutent leur fameux rituel de salut — qui est bien trop compliqué pour être expliqué en mots. (Quelque chose comme : on se cogne le poing, on fait la vague, on tourne sur soi-même, on claque des doigts et ainsi de suite… À la limite du ridicule, mais quand même très drôle.)

En terminant le rituel de salut par un cognement épaule contre épaule, Xavier lance :

— Salut, les brûlés !

Sam fait un bond vers l'arrière, le visage crispé par une grimace de dégoût. Que son ami Roux se permette de s'approprier son expression fétiche l'énerve certes un tantinet, mais ce n'est pas tout :

— YARK ! Désolé de te dire ça, le Roux, mais tu pues vraiment du bec ce matin. Tu sens la vieille charogne !

— Ouin… parle-moi-z'en pas ! Ma sœur a squatté la salle de bain toute la matinée. J'ai dû lui dire au moins mille fois qu'il fallait que je me brosse les dents pis que je fasse un numéro deux… que c'était SUPER urgent… Pis vous savez ce qu'elle m'a répondu ? « Il y a des toilettes à l'école aussi, t'sais ! » (Xavier imite une voix caricaturale énervante.) Je vous jure, je l'aurais enfoncée la tête la première dans le bol de toilette ! Ben, si j'avais pu entrer dans la salle de bain, là…

— Ha ! Ha ! Faut reconnaître qu'elle a pas tout à fait tort…

Loïc prend TOUJOURS la défense d'Ariane, qu'il trouve particulièrement cool en plus d'être… vraiment agréable à regarder (même s'il préférerait tricoter des foulards avec sa grand-mère pendant cent ans plutôt que de l'avouer). En comparaison avec Ariane et sa longue chevelure rousse de déesse du feu, Xavier ressemble à une vadrouille qu'on aurait utilisée pour nettoyer une flaque de ketchup.

Justement, la vadrouille-à-ketchup poursuit son histoire :

— Peut-être… Sauf que j'étais pas capable d'attendre, c'était trop pressant ! Il a fallu que j'arrête au dépanneur en chemin pour faire mon numéro deux. Mais J'HAÏS les toilettes publiques, c'est trop dégueu ! C'est là que je me suis rendu compte que j'avais oublié de prendre ma brosse à dents. Ça fait qu'en plus d'avoir sûrement attrapé la lèpre ou les hémorroïdes, ben je vais être pogné avec cette haleine-là toute la journée !

— Capote pas. J'ai de la gomme.

Loïc sort un paquet de gommes à mâcher de la poche de son jeans et le tend à Xavier.

— Hé, merci, BD. Je t'en dois une !

— Ben là, c'est pas nécessaire. J'en ai plein, de gommes.

— Fais pas ton cave, BD. Xavier voulait dire qu'il va te devoir un service, précise Sam en donnant une bine sur l'épaule de son meilleur ami.

— Ouin, mais… on dit « un service », pas « une » ? !

— Ah ! laisse faire.

— Hé, les mecs, ça tombe bien que vous parliez de service ! J'en aurais un à vous demander.

Fabrice est accoudé derrière eux, contre le grillage de la cour de récré. Il est tellement grand que la clôture lui arrive au milieu du torse, alors qu'elle dépasse bien des élèves, surtout ceux de première secondaire.

— OK ! C'est quoi ton « une » ? dit Sam en se moquant ouvertement de l'ignorance passagère de Loïc.

— Débarrassez-moi de Chanel et de Marion, je vous en supplie-eu ! Moi, je ne peux pas me permettre de faire de la taule pour meurtre ; l'avenir du clan De Courval repose sur mes épaules car je suis l'unique héritier, voyez ? Sauf que je ne les supporte déjà plus, et l'année n'est même pas encore commencée !

Loïc et Sam éclatent de rire. Ils sont plutôt bien placés pour comprendre Fabrice.

— Je suis sérieux, les mecs ! Elles disent que mes bras ont tellement allongé durant l'été que, si la tendance se maintient, je pourrai m'en servir comme écharpe cet hiver !

— Comme écharpe ?

— Ouais ! Comme foulard, si tu préfères.

— C'est chien !

— Mes bras ne sont pas SI longs… non ?

Xavier, Loïc et Sam se regardent, interdits. Personne n'ose répondre à cette question piège. Parce que les bras de Fabrice sont effectivement très longs. Trop longs. Heureusement, Mathis arrive pile à cet instant, créant ainsi une formidable diversion.

Il n'est jamais si bien tombé ! S'il a l'habitude des retards non justifiés, cette fois, il a merveilleusement bien choisi son moment pour faire une entrée aussi remarquée qu'appréciée.

— *Yo*, les *dudes* ! Vous ne devinerez jamais ce que ma sœur a fait ce matin !

— Bon. Encore une autre histoire de sœur…

— Je vous jure, vous allez pas le croire !

— Ben là ! On va peut-être te croire si tu finis par nous la raconter, ton histoire… Envoye, *shoot* !

— OK, imaginez : je suis dans mon lit, ben relax. Je dors comme un bébé, comme d'habitude. Mon alarme sonne, sauf que je l'entends pas parce que j'ai mes écouteurs, comme d'habitude. Ça fait que je passe tout droit…

Sam fait mine de ronfler d'ennui.

— Attends, laisse-moi le temps d'installer l'ambiance, *man* ! J'arrive au punch, là ! Ça fait que vu que j'étais déjà vraiment en retard, ma sœur est venue me réveiller… avec un pichet d'eau ! Elle m'a lancé UN PICHET D'EAU !

— Ouin, pis ?

— J'avais mon iPod sur moi !

— NON !

— OUI ! Kaput ! Mon iPod est mort.

— Il n'est peut-être pas complètement foutu. T'as juste à le laisser sécher un peu…

— OK. Mais qu'est-ce que je fais, moi, en attendant ? Sans musique, je meurs. Ma sœur voulait ma mort, c'est clair !

— Les sœurs, ça ne devrait pas exister.

— Non, les NANAS, ça ne devrait pas exister !

— Ouais, c'est vrai ! Je ne sais pas ce qu'elles ont, les filles aujourd'hui, mais elles sont vraiment fatigantes !

— Pas juste aujourd'hui, tant qu'à moi…

En disant ça, Sam remarque un nouveau visage parmi la foule. Un visage somme toute familier…

— Parlant de fille, regardez qui est là…

— NON ! Pas vrai ! C'est…

— Oh que OUI ! Shakira junior ! Je savais que j'étais pas fou.

Sam n'arrive pas à y croire. La fille aux tresses rastas est dans leur école !

Elle est assise dans un petit coin de la cour d'école, en retrait, l'air hyper-concentrée sur quelque chose que Sam ne parvient pas à voir d'aussi loin. Quelque chose qui brille, comme un bijou.

Annabelle est occupée à ronger ses ongles au sang en triturant nerveusement le bracelet-fourchette qu'elle a fait de ses propres mains (sanglantes).

En fait, « occupée » est un bien grand mot, parce qu'en réalité elle s'emmerde.

Annabelle aimerait bien que quelqu'un lui explique pourquoi la commission scolaire a décidé de fixer la rentrée un jeudi.

JEUDI ?

Selon elle, un lundi conviendrait beaucoup mieux à un événement aussi... apocalyptique. Surtout que le soleil et les petits moineaux trop joyeux qui font la fête dans la cour d'école ne la mettent vraiment pas dans l'ambiance de cette fin du monde imminente.

Elle observe l'établissement d'un œil morne et buté. Ni cascades ni dunes à l'école des Cascades de Rat-Dune ! Pour ce qui est des rats, elle n'a pas encore pris la peine de vérifier. Par contre, il lui suffit de s'attarder sur la devanture hétéroclite, construite à partir de matériaux aussi variés que mal agencés, pour comprendre que le bâtiment souffre d'un dédoublement de la personnalité. Des briques par-ci, du béton par-là, une petite touche de boiserie camouflée par des poutrelles en acier… À croire que ses architectes n'arrivaient pas à s'entendre, et qu'ils ont dû se résigner à un compromis… monumental.

« C'est flippant, pareil ! On dirait un institut psychiatrique… ou un laboratoire scientifique spécialisé en essais nucléaires et en clonage. Ça expliquerait pourquoi tout le monde se ressemble. C'est moi, ou ils sont presque tous habillés pareil ? Ouache ! ! ! »

Il semblerait qu'elle ait déjà oublié sa bonne résolution de la journée : penser positif. Argh !

Annabelle décide de mettre ça sur le compte de la distance qui la sépare de Léa. La communication est comme… brouillée. Oui, c'est ça ! Il y a de la friture sur la ligne. C'est vrai. Elle a beau essayer de voir le bon côté des choses, elle n'y arrive pas. Peut-être parce qu'elle n'a personne à qui parler et qu'elle a l'impression de se retrouver en plein zoo, enfermée dans une immense cage avec une bande de macaques trop bruyants.

Autour d'elle, les élèves forment de petits essaims compacts. Ils se racontent leurs vacances d'été ou propagent les nouveaux potins de la rentrée dans une cacophonie ahurissante.

Au beau milieu de la cour asphaltée, une jolie brunette se pavane stupidement en montrant ses démarcations de bronzage à quiconque lui accorde ne serait-ce que quelques secondes d'attention. En revanche, la superbe fille à ses côtés EST le centre d'attention. Pas surprenant. Elle est « plastiquement » parfaite : un corps élancé et bien proportionné, de longs cheveux noirs soyeux, un joli visage dévoré par de grands yeux de poupée trop maquillée... Bref, le profil type des greluches égocentriques que la petite nouvelle déteste (mais qui attire les garçons sans conteste).

Contrairement à ces deux filles, Annabelle donnerait tout pour se volatiliser de la surface de la cour d'école, pour se fondre dans le décor et disparaître aux yeux de cette bande de macaques mongols.

Pourtant, même si elle tente de passer inaperçue, Annabelle devient rapidement LE principal sujet de conversation. À en juger par les regards insistants des autres élèves posés sur elle, tout le monde se demande : « Qu'est-ce qu'elle fait ici, la touriste ? Pis à part de ça, elle vient d'où, la weirdo ? De Pluton ? C'est quoi, elle est venue faire du magasinage sur terre pis elle a oublié l'endroit où elle a garé son vaisseau ? »

C'est pourquoi Annabelle attend impatiemment que la cloche sonne et mette fin à son malaise. Pour la première fois de sa vie, elle comprend le vrai sens de l'expression « sauvée par la cloche ».

Annabelle ne semble toutefois pas réaliser qu'il est pratiquement impossible de rester incognito quand :

– on est la petite nouvelle d'une polyvalente comptant à peine cinq cents élèves, qui se connaissent pour la plupart depuis l'enfance ;
– on a « j'me sens comme un parasite » écrit dans le front, éclairé aux néons ;
– on a des mini-rastas d'un blond éblouissant ;
– des bijoux fabriqués à la main avec, justement, tout ce qui vous tombe sous la main : brosses à dents, ustensiles, épingles à couche, dés à coudre, bouts de ficelle, etc. ;
– et qu'on porte un chapeau Fedora vintage à la Bruno Mars ayant appartenu à un certain papi Lionel (c'est-à-dire SON papi, qui ne ressemble PAS DU TOUT à Bruno Mars).

Sans le savoir, Annabelle vient de faire comprendre au monde entier (lire entre les lignes : « aux élèves de l'école secondaire des Cascades de Rawdon ») qu'elle est l'intruse numéro un. Pire : l'ennemie de service.

Comme de fait, les deux poupées bronzées délaissent leurs admirateurs pour s'approcher d'elle, flairant la proie vulnérable. Il s'agit évidemment de Chanel et de Marion, le duo d'emmerdeuses par excellence, mais, ça, Annabelle l'ignore encore.

Et comme la petite skateuse est plus du genre bavarde que méfiante (et que son papi lui a appris à ne jamais juger un livre à sa couverture, même si celle-ci est franchement quétaine, style « paillettes et petits cœurs »), elle décide de se laisser amadouer par cette paire de brunettes machiavéliques. C'est Chanel, alias Barbie-en-chef, qui l'aborde :

— Salut ! T'es nouvelle ?

Un point pour Chanel et son excellent sens de la déduction !

— Ouais. (Ça se voit tant que ça ?)

— Comment tu t'appelles ?

— Annabelle… Vous ?

— Annabelle quoi ?

— Euh… Annabelle Poitras. Pourquoi ?

— Pour savoir à quel nom on va devoir préparer les contraventions, à l'avenir…

— Hein ?

— Moi, c'est Chanel, pis elle, c'est Marion.

— Cool…

— Ouais ! On est cool, je sais ! Je suis contente que t'en parles, parce que c'est justement pour ça qu'on vient te voir. L'image de notre école est hyper-importante pour nous, c'est pour ça qu'on a monté l'escouade anti-crimes contre la mode. Si on est ici, c'est pour te donner un avertissement. On est quand même pas assez chiennes pour te donner une amende le premier jour d'école ! Mais à partir de demain, par contre, tu ferais mieux de surveiller ton habillement. Sinon, ça pourrait te coûter cher…

— Euh… je comprends pas…

Marion, qui se contentait jusqu'alors de demeurer cachée derrière Chanel, s'avance pour expliquer à Annabelle :

— C'est parce qu'on n'est pas dans une école de clown, ici ! On dirait que tu t'es évadée d'un cirque, genre. Ou de la maison hantée du Magic Kingdom…

Bien que la voix de Marion trahisse davantage de timidité que de méchanceté, il ne fait aucun doute que les deux jeunes filles ne sont pas venues jusqu'ici pour signer un pacte d'amitié ou échanger des conseils beauté. Heureusement ! Annabelle préférerait éviter mille coups bas que d'apprendre comment appliquer du mascara.

Elle cherche justement une réplique pour clouer le bec à ces deux petites garces, mais tout ce qui lui vient à l'esprit, c'est :

— Euh… rapport ?

Avant même qu'une phrase… disons… plus brillante ne se fraie un passage dans son cerveau confus, la première cloche retentit, invitant les élèves à se regrouper autour de l'entrée principale de l'école.

Il n'y a même pas cinq minutes, Annabelle aurait sauté de joie en entendant le son de la cloche. Mais pas maintenant. Ce foutu carillon ridicule, calqué sur la mélodie de *Sacré Charlemagne*, aurait au moins pu lui laisser le temps de se défendre correctement !

Les deux Barbie-Brunes repartent déjà en gloussant comme des dindes. Une fois rendue au beau milieu de la cour d'école, Chanel annonce assez fort pour que tout le monde l'entende :

— En tout cas, bienvenue parmi les gens normaux, ANNALAIDE POITRINE !

C'est vrai. Il y a à peine cinq minutes, Annabelle voulait disparaître. Maintenant, elle veut mourir ! Elle bafouille :

— J'aime mieux être un clown qu'un clone !

Trop tard... Il n'y a déjà plus personne pour l'entendre.

10

Les élèves de deuxième secondaire ont tous été convoqués au gymnase par Monique Richard. Madame la directrice en personne.

Avec sa robe élégante et sa petite face toute fripée, Mme Richard ressemble davantage à une riche grand-maman gâteau qu'à une méchante dictatrice… euh… directrice d'école secondaire. Postée à l'entrée du gymnase, elle accueille ses élèves de son sourire radieux, manifestement ravie de les retrouver.

Difficile, toutefois, de prétendre que ce sentiment est partagé… La plupart des élèves de deuxième secondaire passent leur chemin sans même un regard pour la pauvre femme.

En l'apercevant, Mathis éprouve aussitôt un malaise, comme un douloureux pincement au coeur. Il connaît bien ce sentiment; il le ressent chaque fois qu'il est confronté à une de ces mini-injustices de la vie.

Lorsque sa petite bande de skateurs s'engouffre par l'embrasure, le Dominicain est déçu de constater que, contrairement à lui, aucun de ses amis n'a pris la peine de saluer la directrice…

sauf peut-être Sam, considérant son timide hochement de tête.

— Vous auriez pu lui dire bonjour ! leur fait-il remarquer.

— QUOI ? crie Xavier pour couvrir le vacarme.

Les élèves continuent d'envahir le gymnase. Au fur et à mesure que la grande pièce se remplit, le bruit s'intensifie jusqu'à en devenir carrément étourdissant. La révolte de Mathis gronde tout aussi fort en lui, ce qui le surprend. Il est pourtant si zen, d'ordinaire !

— C'est quoi, l'idée de nous rassembler dans un endroit aussi écho que le gymnase ? Ils veulent m'achever ?

Sans ses écouteurs, Mathis est effectivement sur le point de virer fou. Chaque bruit ambiant devient une musique à ses oreilles. Une musique tapageuse et énervante. Il aimerait mille fois mieux écouter du reggae… ou n'importe quoi de plus relaxant que le bruit des pieds qui martèlent le plancher ou des voix qui se répercutent contre les murs.

Comme il est de nature généreuse et compréhensive, Xavier accepte de prêter son MP3 à son ami, histoire d'assurer sa survie. Mathis ne se fait pas prier trop longtemps. Il s'empare du minuscule lecteur MP3 et enfonce les écouteurs dans ses oreilles avec une rapidité ahurissante. Mathis retrouve enfin son immense sourire légendaire.

De son côté, Annabelle parvient finalement à localiser le lieu de rencontre des deuxième secondaire et arrive au gymnase, bonne dernière. Faute de mieux, elle a décidé de se fier à son instinct en suivant Marion et Chanel de loin, se disant qu'elles ont l'air d'avoir à peu près son âge : trop sûres d'elles pour être en première, mais trop jeunes pour être en troisième... Résultat : grâce à ces deux chipies, elle fait une entrée remarquée (ce qui était sans doute le but recherché) au moment où la directrice s'apprête à prendre la parole.

Chanel et Marion défilent entre les rangées sans se presser, soucieuses d'être vues de tous. Annabelle se dépêche de s'asseoir en indien dans la dernière rangée, derrière un petit groupe de skateurs. Elle essaie de se faire aussi discrète que possible.

Il est hors de question qu'elle attire encore l'attention, de quelque façon que ce soit !

Les cinq gars ne semblent pas remarquer sa présence. Ils sont tous avachis sur le sol de façon décontractée, sauf le grand maigre qui ne sait manifestement pas quoi faire de ses longs bras encombrants.

— C'est pas juste-eu ! Pourquoi c'est les secondaires un qui sont à l'agora et pas nous ?

Fait chier d'avoir à s'asseoir par terre-eu ! marmonne-t-il.

Fabrice continue de manifester son mécontentement en gigotant sur le sol comme un homard dans l'eau bouillante. Son comportement et son étrange accent — à moitié québécois, à moitié français — sont tellement caricaturaux qu'Annabelle doit se retenir pour ne pas éclater de rire.

Les amis de Fabrice, eux, ne s'en privent pas.

Mme Richard se met alors sur la pointe des pieds pour se grandir (les personnes âgées rapetissent avec le temps, c'est bien connu), puis elle leur dit, de sa douce voix d'antiquité poussiéreuse :

— Mes chers petits protégés, on dirait que vous êtes encore plus beaux cette année ! Hi ! hi ! J'espère que vous avez tous passé de merveilleuses vacances et que vous en avez bien profité parce que l'heure de la récréation est maintenant terminée. On passe aux choses sérieuses ! Hi ! hi ! Bon. Je vous laisse entre les mains de vos enseignants...

Annabelle n'écoute qu'à moitié, inspectant le petit groupe de skateurs avec un intérêt mal dissimulé. Si leur style vestimentaire est assez similaire, la ressemblance entre les cinq gars s'arrête là.

À gauche se trouve un grand Noir coiffé d'une coupe afro spectaculaire. Des écouteurs sont enfoncés dans ses oreilles, et un sourire béat flotte sur ses lèvres, comme s'il était perdu dans des pensées auxquelles lui seul aurait accès.

Il a l'air relax, décontracté, contrairement au rouquin à ses côtés qui transpire la nervosité. Ses lunettes à large monture noire lui donnent des airs de petit geek rebelle, mais il a l'air tellement terrifié qu'Annabelle le devine aussi rebelle qu'un… poisson rouge ! En fait, à bien y penser, il ressemble vraiment à un poisson rouge.

Le style du petit frisé, assis au centre, lui est familier. Avec ses yeux rieurs, ses cheveux châtains bouclés qui lui descendent jusqu'à la base du cou et ses vêtements très (trop ?) voyants, il lui rappelle vaguement Ronald McDonald...

Celui-ci jette un regard par-dessus son épaule, se sentant sans doute observé. Leurs regards se croisent durant une fraction de seconde, mais Annabelle se détourne aussitôt pour fixer les rangées de banderoles sportives qui pendouillent du plafond excessivement haut. Elle a l'impression de l'avoir déjà vu quelque part, mais où ?

Comme elle ne connaît personne dans cette école ni même dans cette ville, elle décide de mettre cette impression sur le compte de son imagination plus que fertile.

Le petit frisé reprend sa conversation avec son voisin de droite, un beau grand brun mystérieux qui paraît nettement plus vieux que l'ensemble des élèves rassemblés dans le gymnase.

À l'extrême droite, le grand maigrichon au crâne rasé continue de se tordre comme une langoustine ébouillantée.

Miam ! Annabelle a tellement faim que son ventre gargouille... un peu trop fort. Le pseudo-Ronald McDonald se retourne une fois de plus pour l'observer, un rictus moqueur aux lèvres.

C'est à ce moment qu'Annabelle se souvient de l'endroit où elle l'a aperçu pour la première fois : au skatepark de Rawdon, le jour de son arrivée en ville ! Celui qui s'est planté comme un amateur en tentant de monter sur le rail. Pouahahaha !

S'il tombe à cheval sur chaque module qui lui fout la trouille, il est mal placé pour se moquer d'elle et de son ventre qui gargouille. Pff ! C'est plutôt elle qui devrait se foutre de sa gueule.

Le frisé ne semble pas être le seul peureux de sa petite clique. En effet, il demande à son voisin de gauche, aussi blanc qu'un cachet d'aspirine :

— Coudonc, le Roux, t'as-tu vu un fantôme ?

— Hein ? Non, non. C'est juste que... j'ai comme un mauvais pressentiment... On dirait que la Vipère me regarde bizarrement... C'est clair que je vais être dans son groupe. Hé, merde ! Je veux tellement pas être dans son groupe. S'il vous plaît, s'il vous plaît, mon Dieu ! Faites que je sois pas dans son groupe !

Sans même se consulter, les quatre gars font pivoter leur tête dans un synchronisme parfait. Le petit groupe dévisage une femme d'une quarantaine d'années aux traits sévères et à l'allure pincée. La femme leur renvoie un regard assassin.

Si ses yeux étaient des lance-pierres, les cinq garçons seraient déjà ensevelis sous une montagne de gravier depuis longtemps.

Un long frisson parcourt l'échine d'Annabelle. Comme pour faire écho à son malaise, le rouquin murmure :

— Je ne sais pas pour vous mais, moi, elle me donne froid dans le dos...

— Mets-en ! Méchante folle. À ce qu'il paraît, elle a déjà lancé une brosse à tableau sur Jordan Ménard pis un manuel dans la face de Kevin Landry parce qu'ils niaisaient durant son cours ! répond Sam, le regard toujours rivé sur l'enseignante.

— Ben oui ! Et puis quoi, encore ? Elle mange des bébés pour le p'tit-déj ? Tu sais bien que le Gros Landry raconte que des foutaises ! Si c'était vrai, ça ferait longtemps qu'elle se serait fait renvoyer, la vieille Vipère-eu...

Cette dernière réplique est évidemment une gracieuseté de Fabrice, qui se fait une fois de plus un devoir de contredire ses amis.

Comme si elle avait senti que les cinq skateurs parlaient d'elle (ça ne prend quand même pas la tête à Papineau : ils la regardent tous en parlant — m'enfin.), la méchante dame s'approche du petit groupe tout en prenant la parole :

— Je demanderais le silence… S'il vous plaît, tout le monde ! Je vous demanderais de garder le… SILEEEEENCE !

Elle a hurlé ce dernier mot comme si elle s'était coincé le doigt dans une trappe à souris. Le résultat est immédiat. Tous les élèves de deuxième secondaire sont maintenant muets et paralysés. Ils s'attendent tous au pire. Une chose est certaine : cette femme sait parfaitement comment imposer son autorité et elle prend un malin plaisir à en abuser. Quant à savoir si elle mange des bébés pour déjeuner, c'est une autre histoire... Satisfaite du silence ambiant, elle poursuit :

— Bon. Comme on a juste une demi-journée, on ne perdra pas de temps avec des présentations inutiles. Vous aurez tous la chance de vous présenter et d'apprendre à me connaître — ou à connaître n'importe lequel de vos professeurs — dès votre arrivée dans vos salles de classe respectives.

— Wow ! Quelle chance…, chuchote Sam, sarcastique.

— On va donc procéder sans tarder à l'appel des élèves qui seront attribués à chaque tuteur, en commençant par les groupes de sport-études ski/planche, c'est-à-dire les groupes 214 et 216. Maryse, voudrais-tu appeler tes élèves ?

La question de la Vipère ressemble à une proposition, c'est vrai, mais il faudrait être sourd ou complètement idiot pour ne pas comprendre que c'est un ordre.

Et puisque Maryse Chevalier n'est ni sourde ni idiote, elle reçoit le message 5 sur 5.

La jeune prof de sciences s'avance vers l'assemblée, l'air hyper-gênée, ou stressée, ou peut-être même les deux. Annabelle ne le sait pas trop… Après tout, elle n'est pas dans la tête de Maryse Chevalier. Par contre, elle se dit qu'être dans la peau de Maryse Chevalier, ce doit être plutôt cool.

En effet, la première chose que pense Annabelle en la voyant, c'est : « La prof de sciences est TROP belle. »

Dans le genre beauté naturelle : fin vingtaine, début trentaine ; juste de la bonne grosseur (ni maigre ni grosse) ; juste de la bonne grandeur (ni trop grande ni trop petite) ; des cheveux hyper-tendance : une coupe très courte d'un beau brun caramel avec une longue frange qui lui tombe sur les yeux.

La première chose que dit Sam en voyant la prof de sciences, c'est :

— Waouh ! On dirait qu'elle sort d'un épisode de *C.S.I.*

Le Français se charge d'ajouter :

— C'est ce que j'appelle une bombasse atomicasse !

Le Roux, quant à lui, continue de prier le ciel :

— S'il vous plaît, faites que ce soit elle, ma tutrice !

En fait, seul Mathis ne réagit pas, toujours perdu à des années-lumière sur sa planète Musique.

Maryse Chevalier examine sa liste, les mains tremblantes. Elle se racle la gorge avant d'entamer l'énumération des chanceux qui se retrouveront dans son groupe. Elle ne semble pas consciente de l'agitation qu'elle provoque, sans doute trop concentrée afin de ne pas bafouiller.

Annabelle serait prête à jurer que tous les garçons présents dans la pièce retiennent leur souffle en croisant leurs doigts. Elle pense : « Pff ! les gars sont pathétiques ! » ce qui ne l'empêche pas d'être elle-même subjuguée par la beauté de la jeune enseignante.

À en juger par ses mollets fermes et son teint hâlé, il est évident que Maryse est une adepte de plein air, au même titre que la plupart des élèves rassemblés dans le gymnase. Hormis Chanel et Marion, évidemment.

Lorsque Mlle Chevalier appelle un certain Loïc Blouin-Delorme, le beau brun mystérieux assis devant Annabelle se réjouit. On ne peut pas en dire autant de Sam, qui devine que c'est foutu pour lui, puisque, dans l'ordre alphabétique, son nom précède celui de son ami.

C'est ensuite au grand maigrichon rasé — Fabrice de Courval — de s'exciter le poil des jambes en entendant son nom.

Finalement, quand Mathis Simard-Aubin est appelé, le rouquin à ses côtés est obligé de lui envoyer un coup de coude dans les côtes pour lui faire remarquer :

— Mat, réveille ! T'as été appelé, espèce de chanceux !

— Hein ? Ah, OK… C'est cool.

Bientôt, la jeune et douce enseignante se retire en faisant signe à ses élèves de la suivre. Par solidarité, Fabrice, Loïc et Mathis font de gros efforts pour dissimuler leur joie au moment où ils se lèvent pour rejoindre le reste du groupe. Fabrice laisse tout de même échapper :

— Je n'en reviens juste pas ! C'est trop beau pour être vrai !

Si Sam est jaloux, Xavier, lui, est totalement désespéré.

En regardant ses amis partir (et se réjouir), le frisé chuchote au rouquin :

— Il reste encore le prof d'éduc pis celui de français. Ça veut pas dire qu'on va être dans le groupe de la Vipère…

— Parle pour toi ! Avec la chance que j'ai, c'est clair que je vais être dans son groupe ! répond Xavier, le visage dégoulinant de sueur.

Annabelle voit la « fameuse » Vipère s'avancer devant l'assemblée, tout en continuant de fixer le petit roux et le frisé. Elle jurerait que la vilaine professeure a tout entendu de leurs chuchotements. Celle-ci aurait-elle des oreilles bioniques ? Ce qui, avouons-le, ne serait vraiment pas pratique pour eux.

Un sourire mesquin aux lèvres, la Vipère savoure les mots qu'elle s'apprête à prononcer :

— J'ai l'honneur de vous annoncer que, cette année, c'est moi qui m'occuperai du deuxième groupe de ski/planche.

Quelques protestations timides s'élèvent dans l'assemblée. Elle poursuit :

— Alors, tous ceux qui se sont inscrits dans cette discipline et qui n'ont pas encore été nommés, veuillez me suivre. Allez ! Les skieurs et les planchistes (elle jette un regard dédaigneux en direction de Sam et de Xavier), suivez-moi !

Une trentaine de jeunes se lèvent et rejoignent la Vipère, à contrecœur.

Durant une fraction de seconde, Annabelle songe à piquer un sprint pour s'enfuir le plus loin possible de cette école maudite, peuplée de profs machiavéliques et de poupées Barbie diaboliques.

Au moment où Chanel la dépasse en laissant flotter derrière elle un parfum trop sucré (qui porte sûrement un nom stupide comme Je m'adore ou Cocotte Chanel), Annabelle réalise avec horreur qu'elles seront dans le même groupe toute l'année.

TOUTE L'ANNÉE dans la même classe que cette petite princesse prétentieuse !

Annabelle commence sérieusement à regretter de s'être inscrite dans le programme de sport-études. Après tout, elle n'a pas besoin de cette école de crétins pour se débrouiller sur sa planche ! Et ce que Chanel s'apprête à dire ne la fera certainement pas changer d'idée. En battant des cils comme si elle avait un maringouin coincé dans l'œil, Miss Populaire lui souffle :

— Un clown en ski, j'ai hâte de voir ça !

Annabelle se mord l'intérieur de la joue pour résister à l'envie de répliquer. Combien de fois son grand-père lui a-t-il répété : « Sois proche de tes amis, et encore plus proche de tes ennemis » ?

Mais Annabelle a horreur de se laisser marcher sur les pieds. C'est pourquoi elle adopte sa voix la plus assurée pour lui lancer :

— Une Barbie avec une tuque pis des pôles, ça aussi, ça risque d'être pas mal drôle !

Devant la mine offusquée de la petite princesse, Annabelle croit bon d'ajouter :

— Oups ! C'est sorti tout seul !

Elle appuie sa phrase d'un battement de cils façon « Chanel ».

Miss Populaire n'a sans doute pas l'habitude qu'on lui réponde. Elle semble momentanément désemparée, mais se ressaisit rapidement. Un sourire mesquin s'imprime sur ses lèvres au moment où elle se retourne pour lui balancer un coup de pied (ou plutôt de sabot, vu la taille impressionnante de ses talons hauts).

Direct dans le tibia d'Annabelle.

— Oups ! C'est parti tout seul !

Satisfaite, Chanel repart en secouant ses cheveux comme dans une pub de shampoing.

Annabelle masse son tibia endolori en se disant qu'elle aurait peut-être dû éviter d'embarquer dans son petit jeu…

Mais une autre phrase fétiche de son grand-père lui vient à l'esprit : « En situation de guerre, arrange-toi toujours pour être plus rusée que l'adversaire. »

Oui. À partir de maintenant, Annabelle aurait grandement intérêt à s'armer de ruse et de courage.

Et de bons protège-tibias.

Parce qu'un petit quelque chose lui dit que Chanel vient officiellement de lui déclarer la guerre…

On entendrait une mouche se moucher.

Dans la classe, plus personne n'ose bouger. Ni parler. Ni même respirer.

Depuis qu'elle a attiré le groupe 216 dans son local, la Vipère s'amuse à mettre à exécution son opération « Intimidation ». Tout a débuté quand elle a ordonné à ses élèves de s'asseoir par ordre alphabétique. Durant ce qui a semblé être une éternité, elle a appelé chaque nom — un par un — pour désigner le pupitre de chacun.

Et comme si ce n'était pas déjà suffisamment pénible d'attendre que la vilaine « en-saignante » passe au travers de sa liste, tandis que les élèves patientaient, elle leur a formellement interdit :

- de bavarder, de rire ou même d'avoir l'air de s'amuser ;
- de s'appuyer contre le classeur ou contre le tableau ;
- de s'approcher, de regarder ou même de penser s'asseoir sur son bureau ;

– ou de faire n'importe quoi
qui pourrait nuire à sa concentration
(ou possiblement lui donner des boutons).

Un peu plus et elle leur demandait de jouer à la statue de sel, comme à des enfants de maternelle.

Sam est à cran : « Non, mais pour qui elle se prend ? Si elle voulait travailler avec des plantes vertes, fallait devenir fleuriste. Pas prof ! »

Il faut dire que le pauvre petit frisé a le malheur de s'appeler Samuel Blondin, ce qui signifie que son nom est le second sur la liste, tout juste après celui de Chanel Beauregard. Pas surprenant, donc, qu'il obtienne une place de choix à l'avant de la classe.

Première rangée. Deuxième pupitre.

L'endroit idéal pour se faire pincer dès la seconde où il se mettra à déconner, ce qui risque d'arriver d'un instant à l'autre.

En tant que parfait petit hyperactif qui se respecte, Sam ne tient déjà plus en place. Il a une folle envie de grimper sur son bureau pour épater ses camarades avec un solo d'*air guitar* endiablé. Il imagine facilement la tête que la Vipère ferait.

Quoique…

Pourrait-elle vraiment avoir l'air encore plus bête qu'en ce moment ? Même un dragon-cracheur-de-feu épileptique aurait l'air plus sympathique…

Pour la millième fois depuis qu'ils sont entrés dans le local, l'enseignante parcourt la liste d'élèves de ses yeux de reptile : deux petites fentes cerclées de lunettes à monture d'écaille.

« Il me semble que c'est un drôle de choix de lunettes pour une femme que tout le monde appelle la Vipère ? Bah ! j'imagine qu'elle n'est juste pas au courant de son surnom... », se dit Annabelle.

La petite nouvelle est assise au beau milieu de la classe, dans la rangée des « P » (comme dans Poitras... ou Poitrine). Annabelle n'a jamais cru aux miracles, mais, en ce moment, elle serait très heureuse d'avoir une raison d'y croire. Alors, elle continue d'espérer que les secondes se mettent à défiler à toute vitesse. Ou que le plafond leur tombe sur la tête.

La Vipère se décide enfin à prendre la parole.

— Pour tous ceux qui ne me connaissent pas encore, je me présente, Brigitte Vigneault. Pour ceux qui me connaissent déjà, et qui ont pris la mauvaise habitude de me surnommer « la Vipère », je tiens à vous prévenir que si j'en entends UN SEUL m'appeler de cette façon dans le courant de l'année, c'est tout le groupe qui va le regretter. Est-ce que c'est clair pour tout le monde ?

Personne n'ose répondre. Les vingt-huit élèves du groupe 216 sont figés derrière leurs pupitres respectifs. La tension est palpable. Dans la petite tête rousse de Xavier, les questions se bousculent : « Est-ce qu'elle m'a entendu l'appeler "la Vipère" ? Qu'est-ce que j'ai fait pour mériter d'être dans sa classe ? Comment je vais faire pour survivre à l'année scolaire ? »

— Bon. J'ai l'impression que le message est passé. Parfait !

Elle se faufile entre la première et la deuxième rangée avant de poursuivre :

— Je serai votre professeure de géographie, d'histoire et d'éducation à la citoyenneté, ainsi que votre tutrice, et ce, POUR TOUTE L'ANNÉE. Pour la plupart d'entre vous, il s'agit de votre deuxième année à l'école des Cascades. Vous devriez donc connaître les règlements de l'établissement : pas de gomme à mâcher, ni de casquette (elle confisque la casquette préférée de Sam au passage), ni de téléphone cellulaire, ni de lecteurs MP3, ni de nourriture en classe (elle confisque la barre tendre de Bruno Chartrand, alias Bouboule Chartrand). MAIS sachez que j'ai aussi mes propres règlements, que j'entends faire respecter EN TOUT TEMPS. D'ailleurs, pour m'assurer que ça rentre bien dans vos petites têtes (elle tambourine contre sa tempe avec son index), je vais les inscrire au tableau.

Chanel choisit ce moment pour lever la main en agitant les doigts de façon à attirer l'attention de l'enseignante. Avec ses ongles peinturlurés d'un vernis couleur Pepto-Bismol, il faudrait être aveugle (ou daltonien) pour ne pas la remarquer.

Pourtant, la Vipère fait tout pour l'ignorer. Tandis que la prof se tourne vers le tableau afin de prendre une craie, Chanel en profite pour s'accorder le droit de parole :

— Madameeee, quand est-ce qu'on va se présenter ? Parce que, dans le gymnase, vous avez dit qu'on aurait la chance de se présenter une fois rendus dans la classe. Pis comme il y a une nouvelle à l'école cette année, dit-elle en se retournant pour regarder Annabelle, ça serait cool qu'on sache d'où elle vient pis ce qui l'amène dans le coin…

Annabelle pense : « Oh non, oh non ! S'il vous plaît. Tout, mais pas ça ! »

— Mlle Beauregard, je suis très heureuse que vous posiez la question.

En ce moment, Chanel est tellement fière qu'elle ressemble à un caniche qu'on aurait récompensé par une gratouille derrière l'oreille. La Vipère reprend :

— Ça m'amène justement à mon premier règlement : je ne veux EN AUCUN CAS être interrompue durant mes cours. Si vous avez des questions, vous les notez sur un bout de papier et vous les posez à la fin du cours, durant la période réservée à cet effet. Est-ce que ça répond à votre question, mademoiselle Beauregard ?

— Euh…

Dans la tête d'Annabelle, ça sonne comme : « Na na nanère ! »

— Parfait !

Satisfaite, Mme Vigneault se retourne pour inscrire au tableau : « 1) Pas d'interruption avant la période de questions. »

— Deuxième règlement : lorsque vous vous adressez à moi, je m'attends à ce que vous me vouvoyiez EN TOUT TEMPS. Vous m'appellerez « madame Vigneault », et non « Brigitte » ou « madameeee ». Quand vous ferez des travaux d'équipe, vous devrez AUSSI vouvoyer vos coéquipiers. Il est grand temps qu'on vous apprenne le respect, et ça commence par le vouvoiement. Compris ?

— Oui, madame Vigneault.

Xavier s'attendait à ce que tous les élèves répondent… Quand il réalise qu'il est le seul à avoir parlé, c'est comme si son visage se mettait au défi de devenir aussi rouge que ses cheveux. Terriblement gêné, il s'enfonce dans sa chaise. À ce moment précis, il donnerait vraiment n'importe quoi pour être dans un cauchemar. Au moins, il pourrait se réveiller.

Tandis que la Vipère écrit : « 2) On se vouvoie » à l'aide de sa craie, Samuel se tourne vers son ami pour se moquer de lui en répétant silencieusement son « oui, madame Vigneault » avec une grimace ridicule.

— Règlement numéro trois : je n'accepterai en classe aucun soulier qui claque, montre qui sonne ou bijou qui fait du bruit. Moi, les CLIC CLAC CLIC CLAC, les BIP BIP BIP ou les BRELING BRELING, ça me déconcentre et ça M'ÉNERVE !

D'aussi loin qu'elle s'en souvienne, Annabelle n'a jamais entendu un règlement aussi absurde. Et elle n'est pas la seule, à en juger par les visages abasourdis de ses camarades de classe, Samuel, Xavier et Chanel y compris. Alors que la Vipère écrit : « 3) Pas d'accessoires bruyants », Sam se risque à toussoter.

Une façon polie d'exprimer sa façon de penser : « Ton règlement a TELLEMENT pas rapport ! »

— Je ne sais pas QUI vient de tousser, mais cette personne a sans doute des dons de clairvoyance, puisque c'est exactement en cela que consiste mon prochain règlement. En effet, sachez que je ne supporte absolument PAS les éternuements, les toussotements, les mouchages, et ainsi de suite, ce qui m'amène au numéro quatre : si vous avez le rhume, la grippe, des allergies ou n'importe quoi qui implique des sécrétions nasales, buccales ou autres, dit-elle en prononçant ces mots avec une moue dédaigneuse, je vous inviterais à sortir de la classe pour faire ça proprement, calmement et en SILENCE. Ça m'évitera de perdre le fil, en plus d'éviter à tout le monde d'avoir la nausée. Est-ce que je me suis bien fait comprendre ?

Cette fois-ci, Xavier s'abstient de répondre à voix haute, se contentant de hocher la tête comme tout le reste du groupe. Pendant que Vipère Vigneault écrit au tableau : « 4) On tousse et on se mouche EN DEHORS de la classe », le regard de Sam s'égare sur la longue chevelure soyeuse de Chanel.

« Ses cheveux sont tellement parfaits qu'on dirait une moumoute ! »

Ça lui donne... une idée. Ou du moins, un prétexte pour déconner.

— Finalement, mon dernier règlement, et non le moindre, consiste tout simplement à respecter les quatre premiers règlements, sous peine de SANCTIONS GRAVES.

Samuel prend une boulette de gommette. Il s'en applique sous le nez pour simuler un filet de morve, puis...

— Aaaaaa aaaaaa aaaaaa ATCHOUM !

La gommette effectue un vol plané avant d'atterrir directement sur sa cible : au sommet de la tête de Chanel. Dérangée par le bruit, la Vipère fait volte-face pour planter ses petits yeux de reptile dans ceux du petit bouffon frisé.

— Désolé, madame Vigneault, je ne l'ai pas senti venir. J'ai… j'ai pas eu le temps de sortir de la classe.

— Monsieur…

La Vipère consulte sa liste de classe pour la mille et unième fois.

— Monsieur Blondin, pensez-vous VRAIMENT que je vais gober ça ?

— Ben… oui ?

Chanel connaît Samuel depuis suffisamment longtemps pour se douter que son comportement est très, très louche. Elle tâtonne sur sa tête de ses mains manucurées au Pepto-Bismol. Quand ses doigts repèrent enfin la boulette de gommette, elle se met à hurler comme si on venait de lui dérober ses derniers neurones.

— AAAAAHHHHHHH ! C'est quoi, ça ? Qu'est-ce que j'ai dans les cheveux ?

La petite princesse plaque ses mains sur sa « moumoute » pour en arracher la boulette. Elle est si paniquée qu'elle ne fait que l'aplatir davantage dans ses cheveux.

La Vipère s'avance, comme au ralenti, pour finalement aller se planter devant le pupitre du petit bouffon. Son visage est crispé en une expression terrifiante. On pourrait presque voir la fumée s'échapper de ses oreilles, et de l'écume s'écouler de sa bouche, tellement elle est furieuse.

Les mains à plat sur le petit bureau, elle se penche de façon à approcher son visage à quelques centimètres seulement de celui de Sam. Tel un serpent s'apprêtant à dévorer sa proie, elle le regarde fixement, comme si elle tentait de l'hypnotiser, puis elle siffle entre ses dents :

— Vous trouvez ça drôle, hein ? VOUS VOUS TROUVEZ DRÔLE, MONSIEUR BLONDIN ?

Samuel n'ose pas trop répliquer, sachant d'avance que l'enseignante n'apprécierait pas ses paroles. La vérité, c'est qu'il trouve sa blague vraiment très drôle.

Il faut croire que la Vipère et lui n'ont pas du tout le même sens de l'humour…

Elle agrippe violemment le bras de Sam pour le forcer à se relever.

— Je voudrais que tout le monde applaudisse M. Blondin pour cet exemple éloquent de ce qu'il ne faut PAS FAIRE en classe. ALLEZ-Y, APPLAUDISSEZ ! Qu'est-ce que vous attendez ? CLAP ! CLAP ! CLAP ! On dirait qu'on trouve ça moins drôle, maintenant, hein ?

Sam se débat.

— Hé, lâchez-moi ! J'ai rien fait !

Dans la classe, tout le monde se retient de pouffer devant ce spectacle particulièrement divertissant. Xavier, lui, n'en peut plus de se retenir. Il éclate d'un rire nerveux et sonore qui ressemble étrangement au couinement d'un porc.

— Pour vous féliciter de cette excellente blague, je vous envoie directement au bureau de la directrice. MAINTENANT ! Vous aussi, monsieur…

Elle consulte une fois de plus sa liste d'élèves à la recherche du nom de Xavier.

— Vous aussi, monsieur Lebel !

— Mais… c'est pas juste ! Moi, c'est vrai que j'ai rien fait !

Samuel et Xavier sont donc envoyés au bureau de la directrice, avant même que l'année ne soit officiellement entamée… Pour une rentrée remarquée, difficile de faire mieux.

Annabelle regarde les deux garçons se faire expulser de la classe en se rappelant un autre célèbre dicton de son grand-père : *Les ennemis de mes ennemis sont mes amis.*

Aurait-elle trouvé des alliés pour rejoindre sa petite armée ?

Dans la classe de Maryse Chevalier, on entendrait aussi une mouche voler.

Mais la douce et jolie scientifique ne ferait pas de mal à une mouche, elle. Alors, il n'y a vraiment pas de quoi s'inquiéter…

Si personne n'ose bouger.

Ni parler. Ni même respirer.

C'est que Maryse a comme… hypnotisé ses élèves. C'est vrai. Elle est aussi magnétique qu'un aimant sur le frigo, aussi attachante qu'une bonne paire de lacets et, surtout, aussi lumineuse qu'un lampadaire dans la nuit.

C'est pourquoi, dans le labo de sciences, les vingt-neuf paires d'yeux sont rivées sur la belle enseignante.

Assis à la table haute qu'il partage avec Loïc, Fabrice fixe un point devant lui — la bouche de Maryse — pour résister à l'envie de cligner des yeux.

À ses côtés, Loïc s'amuse à dessiner sa nouvelle prof de sciences dans son cahier, totalement absorbé dans ses pensées : « Elle ferait une super-héroïne de bande dessinée. Je pourrais lui rajouter une cape pis un masque. Non. Pas de masque, ça cacherait son visage. Mais je pourrais lui faire des yeux à rayons laser. Ouais ! C'est une bonne idée, ça, des rayons X… Elle pourrait s'appeler Scientifi-X. Elle serait *chick* ! »

À la table derrière eux, Mathis se questionne sur les choix musicaux douteux de Xavier : « Comment je peux être ami avec un *dude* qui a du Black Eyed Peas pis du Duke Squad sur son MP3 ? C'est de la musique de fillette, ça. »

Mathis est tellement déconnecté de la réalité que c'est à peine s'il s'aperçoit que Maryse Chevalier dépose un agenda sur son bureau.

L'enseignante a terminé de distribuer les agendas à l'ensemble de la classe. Elle regagne l'avant du local en annonçant de sa jolie voix cristalline :

— Pour moi, c'est important de connaître vos noms. Mais le plus important, c'est d'apprendre à vous connaître, vous, en tant qu'individus. Je suis certaine que, comme moi, vous vous êtes déjà sentis comme une simple molécule, comme un minuscule atome perdu dans l'immensité de l'univers. Cette année, à travers une foule d'expériences scientifiques passionnantes, je vais tenter de vous démontrer que chaque forme de vie a son propre rôle à jouer sur terre, en commençant par : vous.

Elle regarde Loïc qui fond littéralement sur sa chaise, tellement il est gêné qu'elle le regarde, LUI, à cet instant précis. Maryse poursuit :

— Je vais donc vous demander de vous présenter, à tour de rôle, et de me dire pourquoi vous vous êtes inscrits dans le programme de sport-études ski/planche. Comme je suis votre prof de sciences, j'ai pensé que ce serait… euh… amusant que vous me disiez quel animal vous représente le mieux, selon vous. On commence par toi, en avant ?

Maryse pose ses jolis yeux sur Marion, assise dans la première rangée, la main déjà levée.

Difficile de la rater.

Marion est tellement impatiente de prendre la parole qu'elle dodeline de la tête comme un *bobble head* sur le pare-brise d'une vieille Cadillac. Même Mathis — toujours à moitié dans la lune — remarque qu'elle a l'air ridicule.

— Salut ! Moi, c'est Marion Potvin. J'habite au village de Saint-Alphonse-Rodriguez, pas trop loin de Val Saint-Côme. J'aime pas vraiment skier, même si je fais du ski depuis l'âge de trois ans, genre. Mon père est patrouilleur de ski à Saint-Côme, ça fait que j'ai pas vraiment eu le choix de commencer jeune. C'est mon amie Chanel qui m'a convaincue de m'inscrire en sport-études, parce qu'elle disait qu'on pourrait passer plus de temps ensemble pis rencontrer plein de gars. C'est vrai que les moniteurs à Saint-Côme sont vraiment beaux. Ben, pas tous là, mais quand même. Pis euh... c'était quoi l'autre question déjà ?

— Si t'étais un animal...

— Ah oui ! Si j'étais un animal, c'est clair que je serais un petit oiseau, parce que ma mère dit toujours que je mange comme un moineau pis que je suis bavarde comme une pie.

« Et que t'as une cervelle d'oiseau, aussi », pense Fabrice. Marion croit utile d'ajouter :

— C'est vrai que J'ADORE parler.

— Merci beaucoup, Marion. On avait déjà remarqué ! Bon, c'est au tour du beau jeune homme. Oui, toi, derrière. Es-tu prêt à te présenter ?

Loïc a horreur de parler en public. Mais puisque c'est demandé aussi gentiment...

— Euh... je m'appelle Loïc. Je me suis inscrit en sport-études parce que... euh... ben parce que j'aime *rider*. Si j'étais un animal, je serais... euh... une panthère, je pense.

— Intéressant. Pourquoi une panthère ?

— Ben... parce que je suis rapide et... euh... discret ?

— Merci, Loïc. Personne suivante.

Maryse plante son regard dans celui de Fabrice. C'est l'occasion ou jamais de mettre à profit son assurance indestructible. Il DOIT l'impressionner. Et la meilleure façon serait de lui prouver qu'il n'est rien de moins que… le meilleur.

La partie est loin d'être gagnée.

— Salut ! Moi, c'est Fabrice-eu. Je suis inscrit au programme de sport-études parce que je veux devenir un pro de la planche-eu. Les défis ne me font vraiment pas peur. Et si j'étais un animal, je crois que je serais…

— Un singe, c'est clair !

Si Fabrice voulait faire bonne figure, Marion vient de tout faire rater. Elle n'aurait pas pu se taire, au moins une fois dans sa vie ?

— Oh ! pardon, madame Maryse ! J'ai dit tout haut ce que je pensais tout bas…

— Ouais, ben tu peux être certaine que je vais te les faire manger, tes BAS ! Petite conne-eu.

Maryse se charge de faire revenir l'ordre avant que la chicane éclate.

— Du calme, Fabrice. Je suis certaine que ce que Marion voulait dire, c'est que tu es « malin comme un singe ». C'était… un compliment. Pas vrai, Marion ?

— Ouin, c'est ça…

Fabrice se radoucit. Sans le savoir, Maryse Chevalier a prononcé les mots magiques. Pile ce que le Français voulait entendre. Décidément, la prof de sciences est une sacrée diplomate.

— OK… Si j'étais un animal, je serais un aigle ou un lynx parce que, comme moi, ils ont une excellente vision, dit-il en regardant Marion dans le blanc des yeux. Et aussi parce qu'ils chassent les petits oiseaux énervants pour ensuite les bouffer.

Tandis que Marion et Fabrice s'affrontent du regard comme dans un mauvais western, Loïc se charge d'attirer l'attention de son ami Mathis pour l'aviser :

— Mat ! Ça va être ton tour.

— Hein ? Mon tour de quoi ?

— De dire ton nom, pourquoi t'es en sport-études pis à quel animal tu ressembles.

Maryse se retourne vers Mathis au moment même où il pose ses écouteurs sur la grande table noire. S'il aspirait à se fondre dans le décor du labo, le Dominicain doit pourtant se rendre à l'évidence qu'il n'est pas transparent pour autant. Il devra se mêler à la « discussion de groupe » d'une seconde à l'autre. 3… 2… 1…

— Prochaine personne ? Oui, toi. Comment tu t'appelles ?

— Ouais… Moi, c'est Mathis. Si je suis en sport-études, c'est… pour pouvoir faire plus de sports que d'études, parce qu'à part la géo, il y a pas grand-chose qui m'intéresse à l'école…

Pour ne pas froisser l'enseignante, il ajoute, hésitant :

— Ben, les sciences aussi, je trouve ça pas pire… Surtout les sciences naturelles parce que j'adore les animaux en général. Celui qui me ressemble le plus, c'est le… koala, je pense. Ou la crevette.

Dans la classe, les rires fusent de toutes parts.

— Un koala… ou une crevette? C'est original! Pourrais-tu préciser pourquoi?

— Ouais, ben… la crevette, parce c'est un crustacé pacifique et sociable, pis qu'elle vit dans l'eau. Moi aussi, je passerais ma vie dans l'océan, si je pouvais. Le koala, c'est parce que c'est un animal qui aime beaucoup dormir et relaxer, comme moi. Et qu'il bouffe pas mal d'herbe aussi, comme moi. Mes parents sont végétariens, ça fait que moi aussi…

— Ha! ha! Bien répondu, Mathis. Maintenant que tu as fini de parler, tu peux remettre tes écouteurs.

Quoi? Est-ce que sa prof vient VRAIMENT de lui donner l'autorisation d'écouter sa musique en plein cours?

Le clin d'œil qu'elle lui adresse laisse supposer qu'elle n'est pas tout à fait sérieuse, mais… peut-être veut-elle seulement le tester.

Quoi qu'il en soit, les autres gars ont raison: être dans la classe de Maryse Chevalier, c'est vraiment trop beau pour être vrai.

Dans le corridor quasi désert de l'école des Cascades :

— Ouin, la solidarité règne. « Moi, c'est vrai que j'ai rien fait ! » Pff ! Merci, Xav.

— Ben là ! C'est vrai que j'ai rien fait.

— Moi non plus ! Un éternuement, ça ne se contrôle pas. Pouahahaha !

— T'es vraiment cave, Sam.

— Pas autant que toi. Chut ! On est arrivés.

Sam entre dans le bureau de Mme Richard en se traînant les pieds comme un condamné.

On pourrait croire qu'il est inquiet du sort que lui réserve la directrice, mais ce n'est pas le cas. Il est même plutôt content d'avoir la chance de rater le cours de la Vipère pour aller rendre visite à sa « vieille amie ». Après tout, l'an dernier, il a passé plus de temps dans ce bureau que tous les élèves de première secondaire rassemblés ! Pas surprenant, donc, qu'il y soit toujours le bienvenu, étant devenu l'un de ses plus fidèles abonnés.

M'enfin. Tout ça pour dire que s'il se traîne les pieds, c'est tout simplement parce que son manque de sommeil commence sérieusement à le rattraper. Faire le bouffon en classe et déjouer le venin de la Vipère l'a littéralement épuisé.

Dès que la directrice l'aperçoit, ses petits yeux ridés s'illuminent de joie.

— À ce que je vois, tu n'as pas perdu de temps, Samuel ! Je pensais que tu attendrais au moins quelques jours avant de m'honorer de ta visite…

— Moi aussi, madame Richard ! Mais il faut croire que c'était plus fort que moi.

— Je gage que c'est parce que tu t'ennuyais de mes bonbons au caramel. Est-ce que je me trompe ?

— Euh…

Sam serait bien en peine d'expliquer à la directrice que ses bonbons goûtent le vieux. Ils ne sont pas totalement mauvais… juste plus très frais.

Heureusement, Xavier entre au même moment. Moins habitué que son ami à fréquenter le bureau de la directrice, le rouquin s'introduit dans la petite pièce avec l'air résigné du poisson qui s'apprête à finir en sushi.

— Oh ! et en plus, tu nous as amené de la compagnie ! Ça tombe bien. Plus on est de fous, plus on rit. Hi ! hi ! Allez, servez-vous ! Soyez pas gênés. Samuel, je sais que tu en meurs d'envie !

Mme Richard tend à Samuel et à Xavier un petit récipient en forme de pomme, garni à ras bord de sucreries. Les deux garçons y pigent chacun un bonbon sous le regard attendri de madame la directrice.

— Comment va ton frère, Samuel ?

— Il va bien… je pense, dit-il en déballant le bonbon.

— Est-ce qu'il a finalement décidé de s'inscrire au cégep, malgré son… handicap ?

— Ouais.

Samuel hésite à mettre le caramel dans sa bouche. Il décide de gagner du temps en placotant :

— Il serait censé commencer ses cours à distance bientôt. Genre, quand il va recevoir ses livres, ses cahiers pis toute, là… Ben, par la poste. C'est un système qui fonctionne bien, à ce qu'il paraît, envoyer les livres d'école par la poste…

La directrice ne relève pas le message codé de Sam, alors celui-ci prend une bonne inspiration et gobe le bonbon, qu'il se met à suçoter en réprimant une grimace de dégoût.

— C'est formidable ! Christophe a toujours été tellement courageux. Et tellement studieux ! Dommage que son petit frère ne soit pas aussi assidu à l'école…

Elle adresse un sourire complice à Samuel. Comme le petit frisé ignore qu'« être assidu » signifie « être à son affaire », il se contente de lui sourire en retour.

— Et toi, Zachary, je ne te demande même pas comment va ta sœur parce que je l'ai vue ce matin. À voir la façon dont tous les garçons la regardaient dans la cour d'école, je devine qu'elle a beaucoup d'amis. Hi ! hi !

— Che m'appelle Chavier, madame.

— Pardon ?

Xavier sait pertinemment que parler la bouche pleine est un manque flagrant de savoir-vivre. Alors, il profite de l'occasion pour recracher le bonbon.

— Je m'appelle Xavier, madame. Pas Zachary.

— Oh ! désolée, mon petit Xavier. À mon âge, tous les noms se confondent, vous savez… Sauf ceux de mes petits préférés, comme Samuel. Hon ! Mais je ne devrais pas vous dire ça… Des plans pour qu'il revienne me voir trop souvent ! Hi ! hi !

— Ah, pas de danger, madame Richard ! De toute façon, je viens de prendre ma dose de bonbons au caramel. Je devrais être en mesure de tenir pendant au moins une semaine encore…

— Hi ! hi ! Prends-en donc quatre ou cinq autres. Comme ça, tu vas pouvoir tenir deux semaines de plus.

Samuel remplit ses poches de bonbons en se disant qu'il pourra toujours les refiler à tous ceux qui le font suer.

— Maintenant, passons aux choses sérieuses. Zachary, j'aimerais que tu me dises ce qui vous amène dans mon bureau, toi et Samuel. C'est à toi que je le demande, parce que je sais que Samuel me conte toujours des menteries. Je suis peut-être vieille, mais je sais reconnaître un menteur quand j'en vois un ! Hi ! hi ! Bon. Je t'écoute, mon petit Zach... si je peux me permettre !

Sans même relever cette « erreur sur la personne », Xavier consulte son ami du regard avant de répondre :

— Euh... ben... c'est parce que la Vip... la Vigneault... je veux dire : madame Vigneault... était en train d'expliquer les règlements de sa classe pis là... ben... Sam a comme éternué... mais la prof venait juste de dire que c'était interdit dans sa classe de... ben, d'éternuer, de tousser ou de se moucher... Sauf que Sam a pas vraiment fait exprès...

— Pas vraiment ?

— J'ai PAS fait exprès ! se défend Sam.

Mme Richard observe les deux garçons à tour de rôle, l'air sceptique. Elle vient pour ajouter quelque chose, mais elle est momentanément interrompue par la cloche annonçant la fin de la première période.

Sam et Xavier savent très bien ce que cette cloche signifie : une pause d'une demi-douzaine de minutes afin de permettre aux élèves de prendre leur collation tout en relaxant.

Ils savent aussi qu'ils vont devoir s'en passer et se contenter de bonbons dégueulasses en guise de grignotine.

Par contre, ce qu'ils ignorent, c'est que Mme Vigneault s'apprête à les rejoindre dans le bureau de la directrice… Bientôt, la vilaine « en-saignante » tambourine contre la cloison, tout en passant sa tête de vipère par l'entrebâillement de la porte.

— Bonjour, madame Richard. Puis-je ?

— Oui, oui. Entrez, Brigitte. On vous attendait, justement.

« Ah ouin ? Ça veut dire que je suis dans la crotte jusqu'au cou… »

Samuel devient soudainement nerveux. Xavier, lui, n'a jamais cessé de l'être. Et la présence de la Vipère est loin de l'aider à se détendre.

— Madame Richard, si je suis ici, c'est que je me doute bien que ces petits vauriens ne vous ont donné qu'une version très éloignée de ce qui s'est réellement passé…

— Brigitte ! J'aimerais que vous traitiez les élèves avec respect. Pourrait-on éviter de les appeler les jeunes « vauriens » ?

— Bien sûr. Vous comprendrez que ma parole a dépassé ma pensée, même si je considère que ces… jeunes… mériteraient d'être sévèrement punis.

— Pour avoir éternué ?

— Non, bien sûr que non. Mais pour avoir condamné une pauvre jeune fille à se raser les cheveux, oui.

« Chanel va être obligée de se raser la tête ? Ça, c'est la meilleure ! C'est clair qu'on va en entendre parler longtemps. Au moins jusqu'au bal des finissants… »

Mme Richard devient livide. Son petit visage ridé exprime un mélange de déception et d'incompréhension.

— Expliquez…

— M. Blondin nous a donné un excellent spectacle en lançant une boulette de gommette bleue dans les cheveux de mademoiselle Beauregard. Monsieur Lebel a d'ailleurs trouvé la scène très drôle. On ne peut en dire autant de mademoiselle Beauregard. La pauvre est sortie de la classe en larmes juste après que j'ai envoyé les deux garçons à votre bureau.

— Et moi qui croyais qu'il s'agissait d'une histoire d'éternuement ! Je vous avoue que je suis un peu confuse… Samuel, je serais très curieuse de connaître ton point de vue sur… l'incident. Explique-nous donc ce qui s'est passé.

Sam est un « p'tit vite ». S'il parle aussi vite que son ombre, il pense à la vitesse de la lumière.

Son cerveau est en constante ébullition, et c'est sans aucun doute grâce à sa folle imagination. Ce n'est pas pour rien qu'il réussit presque toujours à se sortir du pétrin…

Selon lui, la vie est une route de campagne parsemée d'embûches, de nids de vipères et de voisines haïssables qu'on préférerait voir écrasées comme des siffleux sur les bas-côtés. C'est pourquoi Sam rebondit sur les petits tracas quotidiens en déployant la même agilité que lorsqu'il s'apprête à manger la poussière en skate.

Sboing ! En moins de deux, il s'improvise une défense :

— J'étais en train de jouer avec de la gommette quand madame Vigneault a dit que les éternuements étaient interdits dans sa classe. Sauf que, t'sais, les éternuements, c'est un peu comme les maringouins ou comme les poux, genre. Il suffit d'en parler pour qu'on ait l'impression que ça nous pique. C'est comme… psychologique. Ça fait que quand madame Vigneault a parlé d'éternuement, on dirait que mon cerveau a enregistré ça comme un message… euh… subliminal. Pis là, ben… en éternuant, j'ai eu le réflexe de mettre ma main devant ma bouche. Sauf que la boulette est partie, pis elle a revolé dans les cheveux de Chanel… Mais c'était un accident ! Je vous le jure !

Le regard venimeux de la Vipère est braqué sur lui. Un rictus méprisant déforme son horrible visage de serpent. Heureusement que, de son poste aux côtés de la directrice, elle ne peut discerner les doigts de Sam, ni même s'apercevoir qu'il a soigneusement pris la peine de les croiser avant de clamer son innocence.

Sam et Xavier retiennent leur souffle en attendant le verdict.

Quand la Vipère éclate d'un rire diabolique, tout le monde sursaute, y compris madame la directrice.

— C'est tout simplement ridicule ! Madame Richard, j'espère que vous n'allez pas gober cette histoire… abracadabrante !

— Je ne sais pas encore… Je ne me ferai une idée qu'une fois que j'aurai entendu toutes les versions. Zachary, est-ce vraiment comme ça que ça s'est passé ?

— Xavier, madame.

— Oui, c'est vrai, désolée ! Xavier, est-ce vraiment comme ça que ça s'est passé ?

— Je… je pense que oui, madame. Quand c'est arrivé, j'étais occupé à écouter madame Vigneault parler. Moi, j'écoute toujours en classe. J'ai entendu Sam éternuer, pis j'ai vu Chanel se mettre à capoter. J'ai pas trop compris ce qui se passait, mais ça m'a fait rire de voir Chanel s'énerver comme ça. Je suis presque certain que

Sam l'a pas fait exprès parce que… ben… parce qu'un éternuement, ça se commande pas. C'est pas comme… un rot, mettons.

— Wow ! Quelle étonnante justification ! C'est évident que ces deux… garçons nous mènent en bateau, madame Richard.

— Je le crois, moi aussi.

— Dois-je comprendre qu'ils seront sévèrement punis ?

— Oui, j'y compte bien.

— Parfait. Je retourne dans ma classe. Et je ne veux pas les revoir avant demain. Pourriez-vous leur indiquer leur case et leur remettre leur agenda ?

— Je n'y manquerai pas. Bonne fin de journée, Brigitte.

— À vous de même, madame Richard.

La Vipère ressort du bureau sans un regard pour les deux « vauriens ». La directrice la regarde partir en secouant la tête, l'air découragée.

— Oh, mon petit Samuel, veux-tu bien me dire quelle mouche t'a piqué ?

Sam ouvre la bouche pour répliquer, mais elle ne lui en laisse pas le temps :

— Tut ! tut ! Pas la peine d'en rajouter. Allez, je vous conduis à vos casiers. Un dernier petit bonbon pour la route ?

14

11 h 21. ALLÉLUIA ! Il n'est même pas midi et la première journée d'école est déjà finie.

« ENFIN ! » se dit Annabelle.

Elle n'arrive pas à croire qu'elle a réussi à s'en sortir sans aucune égratignure… Pas de cheveux ni d'ongles arrachés. Pas de bleu sur le front ni d'œil au beurre noir…

Conclusion (étrange, mais vraie) : cette rentrée scolaire est un véritable succès.

Parce que… après tout…

La nouvelle ennemie numéro un d'Annabelle semble avoir déjà oublié son existence. C'est fou ce que Chanel est… silencieuse… depuis qu'elle s'est « collée » au redoutable Bouffon Frisé et à son abominable Morve Bleue. HA ! HA ! HA !

Annabelle riait tellement quand elle a vu la Belle aux cheveux collants sortir de la classe en pleurant qu'elle a bien failli faire pipi dans son short kaki. Lancer de la gommette bleue dans les cheveux, c'est tellement immature… mais aussi tellement brillant ! Comment se fait-il qu'elle n'y ait jamais pensé avant ?

En tout cas, Chanel a eu ce qu'elle méritait. Et Annabelle l'a échappé belle… Elle ne risque pas de se faire achaler durant les prochains jours. La petite princesse sera beaucoup trop occupée à se venger du morveux frisé pour se soucier d'elle.

Bonne nouvelle.

N'empêche qu'Annabelle a une seule envie : décamper d'ici, vite fait, bien fait.

Il ne lui reste plus qu'un escalier à descendre pour atteindre la sortie de l'école.

Glisser le long de la rampe est très tentant : une agréable façon de s'amuser en gagnant du temps. Une première petite cascade à l'école des Cascades. Sauf qu'Annabelle se doute que la Vipère, l'ennemie numéro deux, n'est pas très loin. Et la retrouver en travers de son chemin ne fait pas du tout partie de ses projets…

« C'est clair que cette femme-là a un radar à mauvais coups. Ou quelque chose du genre. J'ai intérêt à m'en méfier si je ne veux pas devenir sa troisième proie de la journée. Non, quatrième proie, si on compte le gars avec une coupe afro qui s'est fait confisquer son MP3 dans le corridor… Cette femme-là est complètement FOLLE ! »

Mais…

Deuxième bonne nouvelle de la journée : Annabelle ne reverra pas la Vipère avant lundi ! En effet, demain, c'est vendredi. Durant cette deuxième et dernière demi-journée, les élèves du groupe 216 auront la chance d'être débarrassés de leur vieille tutrice. Au programme : une tournée des classes pour rencontrer les enseignants de chaque matière en allant chercher leurs manuels scolaires. Un autre bel exemple de « comment joindre l'utile à l'agréable » !

Annabelle dévale l'escalier et s'arrête sur le palier. En se mettant sur la pointe des pieds, elle peut apercevoir la cour d'école. Elle enfile le chapeau de son grand-père en ouvrant la porte à la volée. Ça commence enfin à sentir la liberté !

Ou la gaffe…

SPOINK !

Oups…

On dirait que quelqu'un s'est pris le battant de la porte en pleine tête. « MERDE ! Qu'est-ce que je viens de faire ? »

Annabelle se dépêche de sortir pour évaluer les dégâts. Ce qu'elle découvre de l'autre côté de la porte est à mille lieues de la rassurer. Un monstre à deux têtes l'attend. Enragé.

Il s'agit évidemment de Chanel et de Marion, les célèbres S.S.S., c'est-à-dire les sœurs siamoises sataniques.

Comment aurait-elle pu deviner que de l'autre côté de la lourde porte vitrée se trouvaient, justement, les deux personnes à éviter ?

Bienvenue en enfer !

Surtout qu'Annabelle serait prête à parier que le coup sur la tête de Chanel vient d'enfoncer la gommette bleue encore plus profondément dans ses cheveux. Si la boulette était déjà bien étendue, elle est maintenant carrément aplatie. Écrabouillée, écrasée, étampée. Impossible à décoller, quoi ! Pas surprenant, donc, que Chanel soit… BLEUE de colère.

C'est vrai. Elle est bleue comme la gommette dans ses cheveux. Bleue comme le nez de Samuel Blondin une fois qu'elle le lui aura cassé.

En fait, si personne ne la retient, Chanel va TOUT casser.

— Oh ! oh ! ça va brasser.

Du fond de la cour de récré, Loïc a été témoin de toute la scène. Depuis que Fabrice, Mathis et lui sont sortis de l'école, BD guette la porte en se disant que Sam et Xavier devraient en sortir d'un instant à l'autre.

Et pile au moment où il pensait : « Si Chanel pis Marion pouvaient se tasser, j'aurais une meilleure vue », la petite nouvelle a exaucé son souhait ! Comme quoi, la maladresse des uns fait parfois le bonheur des autres.

Pourtant, Annabelle n'est vraiment pas en position de se réjouir. Sa situation est critique. Si elle n'agit pas rapidement, elle pourrait figurer sur la liste des espèces en voie d'extinction de la région. Elle évalue les options qui s'offrent à elle :

– se sauver en courant;
– s'excuser, tout simplement;
– proposer à Chanel de devenir son esclave pour le restant de l'année;
– oser affronter le monstre à deux têtes, directement.

De toutes les options, Annabelle choisit la plus risquée: tourner la situation à la blague en enfonçant le couteau (ou plutôt la gommette) dans la plaie.

— Bozo le clown, spécialiste en gaffes et en conneries, pour vous servir!

La petite nouvelle improvise une sorte de révérence stupide. Elle enlève son chapeau et le fait pirouetter de haut en bas. Annabelle l'utilise ensuite pour jongler, avant de le remettre sur sa tête.

Toutefois, à en juger par la tête que font Chanel et Marion, si l'adolescente attend d'être acclamée, elle deviendra vieille et ridée bien avant qu'arrivent leurs applaudissements! C'est pourquoi elle décide de conclure son petit spectacle en… s'auto-applaudissant.

CLAP! CLAP! CLAP!

À son poste d'observateur, Loïc commence à prendre sérieusement goût au métier d'espion. La scène qui se déroule sous ses yeux est encore plus croustillante que prévu. « Pour tenir tête aux filles les plus populaires de l'école le jour de la rentrée, il faut vraiment avoir des couilles en acier ! » Le petit cirque d'Annabelle l'impressionne visiblement.

— Tout un numéro, la petite nouvelle !

Toujours aussi rabat-joie/terre à terre/briseux de party, Fabrice lui répond, sans même relever le nez de son iPhone :

— Bah... elle a l'air différente des autres filles parce qu'on la connaît pas. Mais je suis convaincu qu'elle est aussi nunuche et emmerdeuse que les autres nanas de l'école-eu. Elles sont toutes pareilles !

Le Français ne croit pas si bien dire. C'est vrai. Annabelle peut parfois être une véritable emmerdeuse. Et en ce moment, elle assume totalement son petit côté tannant.

Avant de s'éloigner, elle adopte son sourire le plus sincèrement hypocrite pour annoncer à la Belle aux cheveux collants :

— Oh... et en passant, beau bandeau !

Il faut dire que Chanel a tenté de cacher (ou de protéger ?) ses longs cheveux noirs-gommés-bleus en enroulant son foulard blanc autour de sa tête, comme un pseudo bandeau. L'effet pourrait être joli... si le BLANC du foulard ne faisant pas autant ressortir le BLEU de son visage.

Les grands yeux trop maquillés de Chanel lancent des éclairs. Elle semble vraiment sur le point… d'en venir aux poings. Pourtant, elle s'invente un sourire hyper-hypocrite, beaucoup plus réussi que celui d'Annabelle, et se contente de répliquer :

— Merci. C'est toujours pratique, un foulard, pour les « urgences capillaires », dit-elle en mimant les guillemets. Mais c'est sûr qu'un chapeau de vieux monsieur clown, c'est encore plus efficace. Avec ça, même les « grosses urgences » (gros guillemets), on les remarque même pas ! Ou presque…

Et vlan dans les dents !

Incroyable. Annabelle n'arrive pas à croire qu'en une seule phrase la Schtroumpfette ait réussi à insulter son grand-père ET sa coiffure ! Pff ! elles ne sont pas si moches que ça, ses tresses rastas. Au contraire, elles sont super-jolies. Et le chapeau de son grand-père aussi !

Vraiment, Chanel est trop forte. Aux Olympiques des vacheries, c'est elle qui l'emporte.

Pour cette fois-ci seulement, Annabelle décide de s'avouer vaincue. Elle sort peut-être de cette première journée d'école sans aucune égratignure, mais son égo vient d'en prendre un coup !

Bah ! pas grave. Annabelle décide de mettre en pratique la pensée positive, façon Léa : « Lâche pas la patate ! T'es à égalité avec Miss Boss des bécosses. Match nul pour aujourd'hui…

Retourne chez toi prendre des forces. Demain est un autre jour ! »

Du côté des gars, Mathis se demande justement s'il vivra jusqu'à demain.

— Le Roux va me tuer. Le MP3, c'était un cadeau de son père…

Il l'a chuchoté, plus pour lui-même, mais ça n'a pas échappé à l'oreille experte de Fabrice. RIEN ne résiste aux yeux d'aigle et aux oreilles de lynx du Français. Mathis devrait pourtant le savoir; ils sont dans la même classe.

— Fallait y penser avant, la crevette-eu! L'idée aussi d'écouter de la musique devant la Vipère-eu…

Quand Fabrice décide de jouer les moralisateurs, on dirait que sa manie de rajouter un « eu » à la fin de chaque phrase tombe encore plus sur les nerfs de Mathis.

Alors, que fait-il pour se calmer?

Roulement de tam-tam et bruit de maracas…

Facile! Mathis comble le silence en créant sa propre musique de détente. Son petit truc personnel pour se préparer mentalement à ce qui l'attend: l'arrivée de Xavier… et l'explication de la mystérieuse disparition de son MP3. Ouais.

Mathis est conscient que ce n'est pas gagné d'avance.

Un rythme *drum'n'bass* relaxant, presque hypnotisant, tambourine dans sa tête. Ou plutôt, dans son imagination. Pour la deuxième fois de la journée, Mathis se retrouve privé de son oxygène, la musique.

Et cette fois, c'est à cause de la Vipère Voleuse, ce qui est, par définition, VRAIMENT PIRE.

Que la Vipère lui confisque son propre MP3 passe encore. Mais qu'elle confisque celui que Xavier lui a prêté, c'est vraiment la goutte qui fait déborder l'océan. Ou la note qui fait fausser la guitare. Ou… En tout cas !

Mathis a peut-être déjà été le gars le plus zen et pacifique de la terre, mais c'était avant de rencontrer la Vipère.

— Quand même. Elle est grave, la vieille ! Quand la journée est finie, on peut faire ce qu'on veut, non ?

— Ouais, mec. Mais pas tant que tu es DANS l'école-eu !

— OK. Mais qu'est-ce que je fais, moi, en attendant ? Comment je vais expliquer ça au Roux ?

— T'as qu'à lui dire ce qui s'est passé, c'est tout. Et t'attends que la Vipère décide de te le rendre-eu. Tu peux rien faire de plus, mec.

Mathis aurait dû se douter que Fabrice serait plus doué pour lui saper le moral que pour le lui remonter. M'enfin... Maintenant que ç'a été confirmé, il décide de retourner s'isoler dans sa musique improvisée.

Loïc, quant à lui, continue de prendre son rôle de « figurant » très à cœur. Il garde le silence en conservant sa position d'observateur. De son poste, il voit la petite nouvelle s'éloigner au bout de la rue pour ne devenir qu'un minuscule point coloré à l'horizon.

BD commence à s'inquiéter très légèrement. Oh mais, à peine ! En fait, il est surtout curieux de savoir pourquoi Sam et Xavier ne sont toujours pas sortis de l'école à cette heure.

11 h 35.

« Coudonc, qu'est-ce qu'ils font ? C'est ben long ! »

Les autobus jaunes commencent déjà à se remplir. D'ici quelques minutes, ils seront prêts à raccompagner les élèves de la région dans les villages des environs.

Loïc aperçoit son petit frère qui essaie d'attirer son attention en battant l'air avec ses bras d'une manière étrange. Lucas vient de vivre sa première journée au secondaire ; il y a donc de fortes chances pour qu'il soit encore un peu (beaucoup) sur le « décalage scolaire ». Alors... normal que le signe ne soit, disons, pas très clair.

Mais puisque BD a des dons de télépathie (dans ses rêves, oui !), il réussit à comprendre que son frère cherche à savoir s'il va rentrer à la maison avec lui.

Loïc renvoie un autre signe bizarre à Lucas pour lui signifier qu'il n'a pas encore décidé.

Pas question qu'il parte d'ici avant de savoir ce qui est arrivé à Sam et à Xavier. Curiosité ou solidarité ? Sûrement un peu des deux.

— Je me demande pourquoi la Vipère les a envoyés chez la directrice. J'espère que Sam a pas trop déconné…

— On va le savoir bien assez vite. Les voilà qui s'amènent !

Fabrice pointe son menton (pointu) en direction de la porte principale de l'école. Sam et Xavier en ressortent en hâte. Heureusement que Chanel et Marion ont déjà grimpé dans leurs bus respectifs. Pas de danger que la chicane éclate. Quoique… Mathis n'en est pas si sûr, malheureusement pour lui !

Alors que les deux gars se rapprochent, Mathis se prend la tête à deux mains en se disant que se cacher les oreilles empêchera peut-être Xavier de remarquer l'absence des écouteurs.

Ou pas.

Le rouquin et le frisé ne sont plus qu'à quelques pas quand Sam s'exclame :

— Salut, les brûlés ! C'est cool que vous nous ayez attendus !

— Ben là ! Pour qui tu nous prends ? dit Loïc en les rejoignant pour exécuter leur rituel de salut habituel.

BD en profite pour s'interposer entre Xavier et les deux gars derrière lui, histoire de laisser à Mathis le temps de réfléchir à la façon dont il s'y prendra pour annoncer la mauvaise nouvelle au rouquin.

Mais Fabrice le repousse. Il n'a manifestement pas saisi la subtilité du message…

— Tu parles-eu ! On veut absolument savoir ce que vous avez combiné !

— Nous ? On n'a rien fait, hein, Xav ?

Sam est tellement fier du coup de la gommette qu'il frétille comme une saucisse sur le barbecue. Il est impatient de voir la tête que feront ses amis quand il va leur raconter l'histoire ! Même dans ses rêves les plus débiles, il n'aurait pu imaginer une rentrée aussi remarquée et…

— Intense ! J'ai juste un mot pour décrire la Vipère : intense !

— Intense, tu dis ? Je pensais qu'elle allait nous bouffer !

Contrairement à Sam, Xavier frétille plutôt comme un poisson rouge tombé par accident sur le barbecue.

— Moi aussi ! Ha ! ha ! Hé, parlant de bouffe, je commence à avoir faim, moi…

Toute cette agitation a creusé l'appétit de Sam. Les petits bonbons au caramel sont déjà loin dans son estomac. Heureusement.

Un autobus démarre. Loïc aperçoit son petit frère à travers la fenêtre du bus jaune stationné derrière celui qui s'apprête à partir. Lucas fait un nouveau signe bizarre à BD. S'il devait être traduit en signes de ponctuation, ça ressemblerait sûrement à : ?!?(...)??!!!??(...)!!!!!!!!!!!

— Notre bus va partir. Tu viens, Sam ? Tu me raconteras ça durant le trajet.

Sam acquiesce, déçu. Il aurait préféré un public plus nombreux pour raconter ses prouesses de morveux... Mais, d'un autre côté, rentrer à la maison en marchant de Rawdon à Saint-Alphonse n'est pas la meilleure option quand on a un urgent besoin de parler et de manger. Le trajet lui prendrait au moins... six heures... en pleine forêt. Alors, à moins de vouloir faire la conversation aux lapins et aux chevreuils, Sam aurait intérêt à écarter cette option.

Il pourrait toujours appeler sa mère pour qu'elle joue les taxis, mais le trajet de quarante-cinq minutes avec elle en voiture serait clairement plus pénible que la plus longue des randonnées.

Bref, tout ça pour dire que Sam choisit l'autobus.

Fabrice, lui, en a décidé autrement :

— Attendez ! J'ai une meilleure idée. Ma mémé a préparé un super-gratin dauphinois. Je vous jure, il assure-eu ! Et il y en a assez pour nous tous. Vous avez qu'à venir dîner chez moi… Sam et Xavier vont nous raconter ce qu'ils ont combiné. Et moi, je vais pouvoir vous parler de mon… nouveau projet.

— Hein ? De quoi tu parles ? Quel projet ?

— Ah !… dit-il avec un petit regard « top secret », façon Agent 007. Vous avez qu'à venir et vous le saurez.

— Ben là, t'es ben nul ! Pourquoi tu ne nous le dis pas ici ?

— Parce que ces trucs-là, faut en discuter en privé… et parce qu'on doit se grouiller !

Xavier habite à cinq minutes à pied de l'école. Aller jusque chez Fabrice à Saint-Côme est loin de l'emballer. Il propose :

— Pourquoi on va pas au skatepark à la place ?

— Non, pas une bonne idée. Ludo risque d'être là avec sa gang de chilleux, moi j'ai pas mon skate pis, en plus, le skatepark est loin en sale de chez tout le monde, à part toi.

En réponse aux arguments implacables de Sam, Fabrice surenchérit :

— C'est vrai ! Chez moi, on ne se fera pas déranger. On n'a qu'à se réfugier au QG !

Xavier soupire, vaincu.

— C'est bon ! Vous avez gagné.

— OK, mais… le bus pour Saint-Côme, c'est pas celui qui s'en va, là-bas ?

— Oh, purée ! T'as raison, BD. Allez, bougez-vous, les mecs ! ON VA LE RATER !

C'est au tour de Mathis de soupirer. « Se bouger, ça veut dire courir ? Bah ! ça m'tente pas… »

Fabrice, Xavier et Loïc partent à la course. Sam les rattrape en courant à perdre haleine :

— En tout cas, moi, mon histoire, j'attendrai pas jusqu'à Saint-Côme pour vous la raconter. Vous en reviendrez juste pas. Mouahahaha ! Moi, j'ai pas besoin d'être en privé pour parler… Ça fait que je vais certainement pas m'en priver. Mouahahaha !

Il commence à être vraiment, vraiment fatigué de sa journée… et ça paraît.

Dans le cerveau de Mathis, un gros dilemme s'impose : d'un côté, il a bien hâte d'entendre l'histoire de Sam, mais en même temps, il ne voit vraiment pas pourquoi il devrait se presser pour rattraper un bus, surtout si le véhicule en question est déjà en mouvement !

Sauf que Mathis semble oublier que l'autobus de Fabrice est aussi SON bus. Lunatique, vous dites ?

La petite bulle remonte alors len-te-ment à son cerveau et PLOUP ! il réalise la situation… et pique un sprint.

Quand le Dominicain se décide à courir, les guépards peuvent bien aller se rhabiller. C'est qu'il est rapide, Mathis, quand il veut. Dommage que cette prédisposition se manifeste aussi rarement…

Il dépasse les autres gars, arrive à la hauteur de l'autobus et cogne contre la carrosserie pour demander au chauffeur de s'arrêter. Les autres le rejoignent, essoufflés, au moment où le chauffeur se décide à ouvrir la portière du véhicule (elle aurait d'ailleurs grand besoin d'être graissée: elle grince comme un vieux dentier).

Fabrice monte le premier, suivi de près par Loïc et Sam. Xavier s'apprête à grimper dans le bus lorsqu'il sent la présence de Mathis derrière lui.

Le Roux se retourne et dévisage son ami, perplexe. Il mettrait sa main au feu (ou sur le barbecue) que quelque chose cloche chez Mathis… à part le fait qu'il vient de courir le marathon de sa vie, bien sûr.

— T'écoutes pas de musique? C'est louche, me semble… T'aurais pas perdu mon MP3, par hasard?

— MOI? Perdre ton MP3? T'es malade?

Depuis qu'ils se connaissent, Mathis a perdu plus d'objets qu'il n'en faudrait pour remplir un stade. Il a même déjà perdu sa petite sœur au centre commercial. Alors, perdre un MP3, il n'y a vraiment rien là.

Et Xavier le sait.

— Il est où, d'abord ?

— Ah… euh… la vérité c'est que…, commence Mathis en escaladant les trois marches qui mènent à l'allée principale du gros bolide. Ben… que je vais te raconter dès… euh… dès qu'on va arriver chez Fabrice ! T'sais, ces trucs-là, faut en parler en privé.

Oui, Mathis est presque aussi doué pour « patiner » que pour sprinter…

Vue de l'extérieur, la maison de Fabrice ressemble à un manoir. Vue de l'intérieur, elle ressemble à un château.

Si l'argent avait une odeur, les habitants de Saint-Côme pourraient sentir la résidence de la famille de Courval à des kilomètres à la ronde. Ici, tout respire le luxe et la richesse : les lourds rideaux de velours rouge, l'énorme chandelier, le mobilier antique recouvert de sculptures, les murs de pierre tapissés de toiles affreuses, mais sûrement hors de prix.

Les parents de Fabrice collectionnent les œuvres d'art comme d'autres collectionnent les nains de jardin ou les cartes de hockey : un peu, beaucoup, passionnément, à la folie.

Les murs disparaissent presque totalement derrière les centaines de cadres qui s'y étalent à la manière des mauvaises herbes.

Sur les meubles, les statues sont tellement serrées les unes contre les autres qu'on pourrait presque les entendre se disputer l'espace : « Non, maîîîîs ! Tu le bouges, ton gros derrière sculpté ? C'est môôôi que les gens veulent voir en premier ! »

Oui. Si elles pouvaient parler, se dit Xavier, les statuettes seraient au moins aussi bavardes et vantardes que leurs propriétaires. Évidemment, elles s'exprimeraient avec un accent français hyper-chiant, comme celui de « Mamet[8] » de Courval, la grand-mère de Fabrice qui terrorise littéralement Xavier.

Chaque fois qu'il met les pieds chez Fabriche, c'est pareil : il se sent… intimidé par la vieille femme. Xavier ne sait pas ce qui le dérange le plus entre le fait de se sentir observé par cette mémé imprévisible et un peu folle et les horribles moustachus sur les peintures ou les sculptures de femmes snobs et à moitié nues (!) tassées sur les meubles.

Le petit rouquin essaie de se concentrer sur l'assiette devant lui, mais il a l'impression d'avoir vingt mille yeux rivés sur sa petite personne.

Il aurait envie de manger, mais il a l'estomac noué. Il aurait envie de questionner Mathis sur l'endroit où a abouti son foutu MP3, mais il a une boule dans la gorge.

Si au moins la mémé de Fabrice arrêtait de le regarder, son taux d'anxiété pourrait retrouver un niveau… modéré.

---

8 Grand-maman, en langage familier dans le sud de la France.

— Et puîîîîîîs ? Vous ne parlez pas beaucoup, dites donc ! C'est à votre goût, oui ou merde-eu ? Je ne peux pas deviner, moi !

Inutile de préciser que la mémé de Fabrice est un peu spéciale… Dans le genre grand-mère catégorie « ado de l'âge d'or ». Du type à dire des gros mots à table et à s'enfiler un verre d'alcool dès que les parents ont le dos tourné.

Bref, mémé est une vieille rebelle.

Et puisque les parents de Fabrice sont partis travailler, elle en profite pour siroter son troisième (trentième ?) verre de Ricard de la journée.

Pendant qu'il mastique sa bouchée, le rouquin grimace sans même s'en rendre compte.

— Mon petit Fabrichou, on dirait bien que tes potes n'apprécient pas ma popote, alors-alors !

— Mes potes ont eu une grosse journée, Mamet. Ils sont fatigués. Mais je peux t'assurer qu'ils raffolent de ton gratin dauphinois. Pas vrai, les mecs ?

— Mmmmwwi. Ché ecchélent !

Sam est assez poli pour répondre, mais pas assez pour attendre que sa bouchée soit terminée.

Mathis, BD et lui ont presque vidé leur assiette. Fabrice aussi. Il s'est même fait un devoir d'honorer les traditions culinaires de son pays et de sa grand-mère en mangeant pas une, pas deux, mais bien trois parts de gratin. Xavier, quant à lui, mâchouille toujours sa deuxième bouchée, les yeux rivés sur son assiette pour éviter le regard de cette vieille dame qui le dévisage sans vergogne. Fabrice remarque son malaise.

— Bon, mémé, pourrais-tu nous laisser, s'il te plaît ? Il y a des choses importantes dont on voudrait discuter. En privé.

— Tu me demandes de débarrasser le plancher ? Dans ma prôôôpre maison ? Oh ! oh ! elle est bonne ! Attends que je le dise à ton père, p'tit détronché !

— Pff ! attends que je dise à papa que tu picoles à longueur de journée !

— Tu n'oserais pas !

— Tu me connais mal…

— Oh, c'est toi qui me connais mal, mon kéké ! Je déteste les mouchards. Vé ce que j'en fais, des mouchards !

BANG ! Elle écrase une mouche imaginaire sur la table de bois massif avant de poursuivre :

— Tu ne voudrais tout de même pas en devenir un, de ces mouchards, n'êêêst-ce pas ?

Nouvel éclat de rire.

Si mémé n'était pas aussi fripée, on pourrait penser qu'elle est en pleine crise d'adolescence, ce qui expliquerait pourquoi ses humeurs jouent aux montagnes russes et pourquoi ses hormones fluctuent encore plus que la température au printemps. Mais comme elle semble « dater » de la Première Guerre mondiale, les gars penchent plutôt pour la thèse de la sénilité. Mémé est juste un peu… fêlée.

— Laisse ta grand-mère tranquille, Fab. On devrait aller au quartier général, à la place.

— Ouais, bonne idée. Allez, le Roux ! Tu l'enfiles, ce gratin, qu'on bouge d'ici ?

— On peut y aller tout de suite. J'ai fini.

Xavier laisse tomber sa fourchette et se lève d'un bond.

— T'as presque rien mangé…, dit Fabrice.

— J'ai pas vraiment faim.

Les gargouillis de son ventre disent pourtant le contraire.

— Vous voyez ? Je l'avais bien dit ! Ah ! les jeûûûnes… La vieille femme se relève en dépliant son maigre corps courbé dans une symphonie d'os qui craquent. Elle repart en emportant avec elle son verre de Ricard radioactif.

— Meuh non, Mamet. Pars pas comme ça ! On allait descendre de toute façon.

— Ça va, j'ai compris, je te dîîîîîs. Je vais retrouver ma place… parmi les autres antiquités de cette vaste et vide demeure-eu.

L'aînée s'éloigne, le revers de la main posé sur son front dans une expression digne d'une actrice de tragédie grecque. Fabrice lève les yeux au ciel, découragé.

— Vous voyez, c'est ce que je disais : l'enfer, c'est les femmes !

Mémé pivote sur elle-même.

— J'ai entendûûû, Fabrichou.

Un sourire triomphant se dessine sur les lèvres de la grand-mère. En ce moment, sa bouche ressemble étrangement à un bricolage raté, une sorte de croissant de lune en papier crêpé. Elle poursuit :

— Du coup, si tu mouchardes à ton père que je picôôôle-eu, moi je dis à ta mère que tu te comportes en véritable petit machôôô. Elle va pas aimer, mais alors là, pas du tout !

Elle se fond dans le décor, parmi les autres étranges vieilleries, et s'engouffre dans le long couloir. Son rire continue de résonner… et Xavier continue de frissonner.

Fabrice, lui, a plutôt l'air amusé.

— Allez, les fillettes, on file au QG ! Mais je vous avertis : ce qui se dit dans le quartier général RESTE dans le quartier général. Parce que mémé a raison. Si ma mère apprend ce que je fabrique, je ne suis pas mieux que mort !

17

Un mode d'emploi, une carte routière, beaucoup de patience et une taille très fine: c'est exactement ce qu'il faudrait à un non-initié pour réussir à accéder à ce que les gars appellent leur « quartier général ».

Ah, et une lampe de poche aussi!

Mathis a passé une bonne partie des vacances d'été dans les Antilles avec sa famille, c'est donc la première fois qu'il remet les pieds chez Fabrice depuis deux mois. Curieusement, ces deux mois lui ont suffi pour oublier à quel point cette « maison cinq étoiles » est un foutu labyrinthe.

Pour arriver au QG en passant par la cuisine, les cinq skateurs ont dû longer un immense couloir, traverser un gigantesque salon, descendre un escalier hyper-étroit et sombre pendant trois bonnes minutes, longer un autre interminable couloir — souterrain cette fois —, tourner à gauche, puis à droite au bout de dix mètres, puis contourner une colonne de pierres dans un axe de rotation* de 180° pour finalement aboutir devant une porte fermée à clé. Ouf!

C'est à ce moment que Fabrice a extirpé une petite clé ancienne et toute rouillée de sa poche en annonçant :

— Êtes-vous prêts à organiser le complot de l'année ?

Et Sam de répondre :

— Hein ? Rapport, avec ton complot ? Nous, ce qu'on veut, c'est aller s'amuser dans notre salle de jeu préférée. *Shotgun* sur le Xbox Kinect !

— Moi, je fais un *shotgun* sur le *half-pipe** !

— Quoi ? Ce que je dois comprendre-eu, c'est que vous n'avez absolument rien à foutre d'entendre LE plan que j'ai mis toute la journée à élaborer ? s'offusque Fabrice.

— Euh…

— Moi oui. Ça m'intéresse.

Mathis venait de prononcer la formule magique pour entrer.

Heureusement, car Fabrice aurait été assez têtu pour faire le pied de grue durant des heures dans ce petit couloir sombre et étroit en attendant que ses amis le supplient de cracher le morceau.

La porte s'ouvre enfin sur le quartier général : le royaume du skateur amateur.

Si ce n'était l'équipement à la fine pointe de la technologie, cette vaste pièce obscure ressemblerait à un cachot de l'époque médiévale avec ses murs en grosses pierres grises et son atmosphère lourde et humide. Le contraste entre la décoration d'inspiration gothique et le matériel électronique n'en est que plus frappant.

En plein centre de la pièce a été érigée une imposante rampe en demi-lune, histoire de permettre à Fabrice et à ses chevaliers servants de chevaucher leur skate en toute liberté. Des planches de snowboard de collection ont été accrochées au mur. Un cinéma maison doté d'une chaîne stéréo hyper-performante, d'une console Kinect de Xbox 360 et d'une console Wii est également mis à la disposition du petit prince et de ses invités.

Les parents de Fabrice seraient vraiment prêts à tout pour que leur fils unique soit équipé et comblé comme un riche et noble héritier.

Et le futur roi ne se gêne pas pour imposer sa loi :

— Alors ? Qu'est-ce que vous attendez pour vous asseoir ?

— On peut même pas se faire une toute petite partie de Kinect ?

— NON !

— OK, OK !

Sam se dirige vers le gros divan moelleux en traînant les pieds. Loïc, Mathis et Xavier prennent place à ses côtés.

— Mes amis, l'heure est grave-eu ! Aujourd'hui est un grand jour ! Et c'est un grand jour parce que c'est aujourd'hui, mes frères, que nous avons découvert qui sont nos vrais ennemis.

Sam lâche un gros pet puant. Tout le monde se bouche le nez. Le frisé rit tellement qu'il a de la difficulté à articuler :

— Euh… les bines au déjeuner ?

— Non ! Je voulais parler des filles, ducon ! Mais, à cause de toi, l'effet est raté.

— Capote pas ! Je voulais juste détendre l'atmosphère.

— L'empester, tu veux dire-eu !

Des fois, Sam trouve que Fabrice se prend vraiment trop au sérieux.

Comme la tactique de Sam pour « détendre l'atmosphère » n'a apparemment pas très bien fonctionné, son meilleur ami revient à la charge. Loïc propose, à moitié sérieux :

— Ben… T'as juste à recommencer depuis le début, d'abord…

— Hum… d'accord !

Fabrice se racle la gorge avant de recommencer. Il dirige son regard vers un point imaginaire à l'horizon en adoptant une posture solennelle, comme s'il prenait la pose pour une séance-photo de campagne électorale. Il annonce haut et fort :

— Aujourd'hui est un grand jour, mes frères-eu ! C'est aujourd'hui que nous avons découvert qui sont nos vrais ennemis… Des ennemis coriaces. Et j'ai nommé… LES FILLES-EU !

Elles sont plus nuisibles que des maringouins ou qu'un voisin qui tond sa pelouse à 7 h un dimanche matin. Plus inutiles que des ongles d'orteils incarnés ou que de l'acné. Plus toxiques que…

— L'haleine de Xavier ! lance Sam.

— Les pets de Sam ! dit Xavier.

Les deux réagissent de la même façon, c'est-à-dire en se flanquant une bine sur l'épaule. Fabrice les ignore et poursuit son grand discours :

— Jean-Paul Sartre disait : « L'enfer, c'est les autres. » MAIS C'EST FAUX ! L'enfer, c'est les filles !

— Euh… c'est qui, Jean-Pierre Sarte ? demande Sam.

— Jean-PAUL SARTRE. C'est un des plus grands philosophes français. Mais ce n'est pas là que je voulais en venir. Mon point, c'est que…

— Sartre ? C'est ben laid comme nom !

— Ouais, ça sonne comme le bruit d'une personne qui dégueule ! SaaARRTT ! SaaARRTT !

Sam fait semblant de vomir sur le plancher.

— MERDE-EU ! Allez-vous me laisser parler, à la fin ? Ça vous intéresse, ce que je dis, ou pas ?

— Ouais… Mais on aimerait quand même mieux *rider* ton *half-pipe* ou jouer à tes jeux de Xbox que t'écouter parler…

— Je le crois pas ! Vous préférez continuer à laisser les filles vous bousiller la vie plutôt que de m'écouter deux minutes ? J'ai LA solution, bordel !

— OK, on t'écoute, mais…

— … fais ça vite ! dit Sam qui adore compléter les phrases de BD.

— C'est bon, c'est bon ! Ce que je propose, c'est qu'à partir d'aujourd'hui on ne se laisse plus jamais marcher sur les pieds par aucune nana sur terre. Je propose un pacte, une grève, une révolution !

— Euh… tu y vas pas un peu fort, là ?

Mathis, lui, ne considère pas les filles comme nuisibles, inutiles et toxiques. À ses yeux, la plupart sont plutôt sensibles, utiles et sympathiques. Et certaines sont même carrément badass[9], comme Flora, la belle surfeuse trop géniale…

Bref, Mathis ne voit vraiment pas pourquoi il devrait faire la révolution pour des idées qu'il ne partage pas.

Mais quand Fabrice se met une idée en tête, il faudrait bien plus qu'une foreuse à pétrole pour l'en extraire… Le Français est persuadé de détenir la Vérité absolue.

— Non, Mathis, je n'y vais pas « un peu fort » ! Au contraire ! Aux grands maux, les grands remèdes ! Comment peux-tu rester sans rien faire pendant que ta petite sœur bousille ton iPod ?

9 Expression pour dire « génial ».

Ou pendant que la Vipère te confisque celui de ton pote ? C'est inacceptable-eu !

— QUOI ? La Vipère a confisqué mon MP3 ?

— …

— Mat ! C'est un cadeau de mon père !

— Désolé, Xav…

— Vous voyez ! C'est encore la faute d'une nana si on se dispute ! Pourquoi devrait-on se laisser faire ? Chanel, Marion, la sœur de Xavier, celle de Mathis, la voisine de Sam… elles se croient toutes tellement supérieures. Tellement extraordinaires. Prouvons-leur qu'elles se trompent ! Chanel et Marion cherchent la guerre ? On va la faire ! La Vipère veut faire de notre existence un enfer ? Rendons-lui la pareille ! Prouvons-leur, à toutes ces filles, que leurs petites manigances diaboliques nous indiffèrent !

— Je vois toujours pas où tu veux en venir…

— Ouais, c'est vrai, ça. C'est quoi, ta solution miracle ?

— Je vous l'ai déjà dit. Une grève ! On n'a qu'à arrêter complètement de leur parler. Les ignorer totalement !

— C'est tout ? C'est ça, ta GRANDE révolution ?

— Vous saurez qu'il n'y a rien de plus insultant pour une femme que de passer pour du vent ! C'est ce que ma mère dit tout le temps quand, mon père et moi, on fait comme si elle n'existait pas…

— Ouais, c'est pas bête.

— Je vous garantis qu'à force d'être ignorées, elles vont se lasser… Et à nous la liberté ! En plus, ce sera une révolution non violente, alors pas de danger qu'on se crée des emmerdes ! C'est le complot du siècle, je vous dis !

— Mais… euh… C'est quoi, le rapport avec ta mère ? s'enquiert aussitôt Xavier.

— Comment ?

— Ben oui, ta mère. T'as dit qu'elle t'étriperait si elle apprenait ce que tu prépares. Sauf que tu viens de dire qu'on fait rien de mal…

— Ma mère est la plus grande féministe du monde, dans le genre extrémiste qui croit que les femmes devraient être les reines de l'univers. Elle est donc comme les autres, mais en bien PIRE-eu !

Mathis, Loïc, Sam et Xavier se consultent du regard sans rien dire.

— Alors, qu'est-ce que vous en pensez ? Vous embarquez ?

— Moi, j'ai une question avant. Si, par exemple, il y a une fille un peu « tomboy » qui se comporte comme un *dude*, est-ce que ça compte ? Je veux dire, est-ce qu'on est obligés de l'ignorer ? Parce que… si c'est genre une moitié-fille, moitié-gars, t'sais…

— C'est Shakira junior, LE fille ? demande Mathis, perspicace.

— Non, tellement pas ! Je parlais, en général, là...

— Ouin, ouin, c'est ça..., marmonne Loïc pour laisser planer le doute.

BD remet rarement en question son plus vieil ami (même s'il est plus vieux que Sam de quelques mois). Alors forcément, Xavier commence à se méfier.

— Ouin, rapport ! La petite nouvelle, ça se voit que c'est une fille ! Avez-vous vu ses gros... (ses mains s'agitent nerveusement sur son thorax tandis qu'il cherche ses mots) ben, euh... vous savez, là ! Ses gros... euh... bling bling ?

Mathis a saisi l'ampleur de l'embarras du rouquin face à cette remarque à double sens. Histoire de se faire pardonner l'épisode du MP3, il décide de l'aider à se sortir du pétrin en ajoutant, complice :

— C'est vrai ! À part les rappeurs, il y a aucun gars qui porte autant de bijoux que ça.

— Je parlais pas d'elle non plus..., se défend aussitôt Sam. Je m'en fous d'Annabelle !

Les joues bien potelées du frisé s'empourprent aussitôt. Il regrette de l'avoir appelée par son prénom plutôt que par le surnom bidon qu'il lui a donné. Shakira junior, c'est impersonnel, alors qu'Annabelle, ça fait beaucoup trop... intime. Trop réel. Heureusement, Maître Fabrice n'a que faire des états d'âme de l'accusé et se charge de rétablir l'ordre dans sa cour en imposant un verdict sans appel :

— La réponse est : OUI, on est obligés ! On doit toutes les ignorer, sans exception !

— Bon. Si c'est comme ça, moi... (au tour de Sam de laisser planer le doute)... j'embarque !

— OK. Moi aussi, annonce Loïc.

— Ben moi aussi, d'abord ! ajoute Xavier, le suiveux par excellence.

Nouveau grand dilemme pour le Dominicain : appuyer ses amis ou rester fidèle à ses principes... et à Flora.

Voilà qu'il est paralysé, comme si un virus informatique venait de s'immiscer dans son disque dur. Son cerveau aurait besoin d'être redémarré pour se remettre à fonctionner. (Pause café)

— Mat ?

Tous les yeux convergent vers le grand gaillard à la peau noire : ceux de Fabrice, de Sam, de Loïc et de Xavier, ainsi que ceux... des deux silhouettes postées devant la fenêtre ouverte du QG. Personne ne les a invités, ceux-là... Pourtant, tout porte à croire que les deux individus ont tout entendu. Sinon, comment expliquer que leur visage soit comprimé, à contre-jour, dans la moustiquaire ? Ouf ! Tant de déductions auraient de quoi épuiser nos cinq skateurs, s'ils étaient le moindrement observateurs... ce qui n'est pas le cas.

Et si le quartier général était moins « secret » qu'il n'y paraît ?

18

Avant même que Sam n'ouvre les yeux, une première pensée se fraie un passage dans son cerveau embrumé : « Merde, mon board* ! Il faut que j'aille le chercher. Tout de suite. »

Dire que sa précieuse planche a passé la nuit à la belle étoile. Toute seule. Sam est vraiment un sans-cœur.

Tandis qu'il bondit de son lit, le frisé remarque qu'il porte toujours ses vêtements d'hier. Sur le coup, il n'y comprend rien. Depuis quand dort-il tout habillé ? Quelques points d'interrogation plus tard, la mémoire lui revient.

Quand il est venu le chercher chez Fabrice, hier, son père a également offert de raccompagner Mathis et Loïc à leurs domiciles respectifs. Dès que ses fesses se sont posées sur le siège du passager, Sam a sombré dans un sommeil profond, pour finalement se réveiller au moment où son père garait la voiture dans l'entrée. Sam était tellement fatigué qu'il est monté se coucher directement… En fait, c'est à peine s'il a pris le temps de retirer ses souliers.

Si la rude rentrée scolaire et le « caucus révolutionnaire » du QG ne l'avaient pas plongé dans un tel état semi-comateux, Sam aurait certainement fait l'effort de retourner récupérer sa planche chez BD. Mais, à ce moment-là, c'était vraiment trop lui demander.

Sam inspecte les vêtements qu'il a sur le dos. « Ils sont pas si fripés que ça... »

Il serait tenté de les garder plutôt que de se changer... mais il se ravise. Samuel n'a déjà pas le temps de prendre une douche, alors si en plus il doit porter les mêmes habits légèrement puants (et dépareillés) deux jours de suite, il est certain d'attirer l'attention des filles de l'école sur sa petite bande. Après tout, elles remarquent toujours ce genre de choses parce qu'elles passent des heures à magasiner ce qu'elles porteront à la rentrée, puis, le jour venu, elles ne peuvent s'empêcher de comparer et de critiquer la façon dont les autres sont habillés.

En temps normal, Sam se ferait une joie de choquer Chanel et les autres nunuches qui adhèrent à son escouade « anti-crimes contre la mode ».

Mais comme le nouveau mot d'ordre de sa petite bande est « discrétion », Sam décide qu'aujourd'hui, pour la première fois de sa vie, il vaudrait mieux éviter d'attirer l'attention.

*

« Faut vraiment pas que je fasse de bruit, sinon... », se répète Xavier.

L'oreille collée contre la porte, le rouquin retient son souffle. Il ne voudrait surtout pas que Catou et son père sachent qu'il est réveillé.

En fait, il tient surtout à s'assurer que la voie est libre avant de s'aventurer à découvert dans le couloir, pour la simple et bonne raison qu'il n'est vraiment pas prêt mentalement à affronter son père et sa chère « invitée ».

Xavier décide donc de jouer la carte de la prudence.

Mais sa vessie n'est pas de son avis. Une urgente envie de faire pipi le force à agir IMMÉDIATEMENT. Xavier ouvre la porte et… tombe nez à nez avec son père.

— Xavier ! J'allais justement te réveiller. Je me demandais si t'avais besoin d'un *lift* jusqu'à l'école. Catou m'a proposé de t'emmener, vu qu'elle a des commissions à faire dans le coin de Rawdon.

— Non, c'est correct. Je me suis déjà arrangé avec Fabrice…

— OK…

— Bon…

Xavier remarque que la porte de la salle de bain est fermée, ce qui porte à croire qu'elle est occupée. Logique. De toute façon, fermée ou pas, Xavier l'aurait deviné au petit bruit écœurant du pipi qui coule dans la toilette.

« Cool… Merci, Catou. »

En plus d'avoir une sérieuse envie d'uriner, maintenant Xavier a aussi une pressante envie de dégueuler. Savoir que son ancienne monitrice de ski est en train de soulager sa vessie dans sa toilette est loin de l'amuser.

Le mieux serait de retourner s'enfermer dans la chambre des invités... Après tout, il est évident que le véritable imposteur dans cette maison, c'est lui.

Sauf qu'Antoine le retient dans son élan. Il regarde son fils, embarrassé, avant de lui confier :

— En passant, désolé pour hier soir. Si tu m'avais appelé avant de venir, j'aurais pu te prévenir. Ou dire à Catou de partir...

— Pas grave. Je le saurai pour la prochaine fois.

En décidant d'aller chez Fabrice après l'école hier, Xavier se doutait bien qu'il ne trouverait personne pour le ramener chez lui à Rawdon. Il avait donc prévu d'aller squatter, le temps d'une nuit, chez son père qui habite de l'autre côté de la montagne, à dix minutes top chrono de la rue du Faubourg et de la somptueuse maison de De Courval[10]. Ce qu'il n'avait pas prévu, par

10 Dix minutes à pied, évidemment... Xavier ne conduit pas, il n'a que douze ans ! De toute façon, s'il avait une voiture à sa disposition, le Roux serait retourné directement chez lui, plutôt que d'aller déranger son père !

contre, c'est qu'à son arrivée son père aurait déjà de la compagnie.

Et pas n'importe laquelle : Catherine Morin, monitrice Boule-de-neige pour l'école de ski de la station touristique Val Saint-Côme.

Celle qui enseigne la glisse aux enfants de trois à cinq ans et qui a montré à Xavier comment faire des « pointes de tarte » avec ses mini-skis, à ses débuts.

Il se souvient d'ailleurs qu'à l'époque Catou portait d'horribles broches qui la rendaient plutôt moche.

S'il ne reste plus grand-chose de l'ado boutonneuse qu'elle était, Xavier la trouve encore beaucoup trop jeune pour sortir avec un vieux patrouilleur croulant comme son père.

« Yark ! C'est comme si le père Noël trompait la mère Noël avec une lutine. Dégueulasse ! »

Même s'il a longtemps cru au pôle Nord et à ses montagnes de cadeaux, Xavier n'est pas assez naïf pour croire encore à l'existence du gros barbu… Par contre, sa mère est assez naïve pour croire que son gros barbu d'ex-mari ne s'est pas encore remis de leur séparation, comme elle.

S'il fallait qu'elle apprenne qu'Antoine sort avec une ex-ado aux dents croches, elle sauterait toute une coche ! Mais pas de danger que ce soit Xavier qui le lui annonce…

Il n'a pas non plus l'intention d'en parler à sa sœur, parce qu'il a tout simplement décidé de ne plus jamais lui adresser la parole.

Oui, le discours de Fabrice commence visiblement à faire son effet.

La porte de la salle de bain s'entrouvre. Catou passe sa tête par l'embrasure et dit, avec une bonne humeur forcée :

— Bon matin, Xavier ! Woh ! T'as grandi, toi, depuis l'hiver passé !

Aucune réaction du côté de Xavier. En revanche, Catou et son père feignent la joie comme des amateurs, exhibant un sourire crispé qui n'est pas sans rappeler l'expression figée qu'affiche le rouquin sur ses photos d'école les plus ratées. Toujours avec le même faux sourire de carte d'identité, Catou enchaîne :

— Est-ce que t'as besoin de la salle de bain ? Si tu veux, elle est à toi dans deux secondes.

Sans même prendre la peine de lui répondre, Xavier retourne dans sa chambre en lui claquant la porte au nez.

Son geste lui procure une étrange sensation de fierté. Il est fier d'avoir suivi les conseils de son ami en tenant tête à une fille… euh… à une femme pour la première fois de sa vie. Fier de savoir enfin ce que ça fait de ne pas être le « p'tit gars gentil et docile à son papa ».

Le seul problème, c'est que, ce matin encore, Xavier n'aura pas accès à la salle de bain… ni à sa brosse à dents.

Depuis que l'alarme de Lucas a retenti, Loïc est incapable de se rendormir. Il s'entortille dans ses draps à force de se retourner de tous bords, tous côtés.

Partager sa chambre avec son frère comporte assurément plus d'inconvénients que d'avantages, surtout quand le frère en question est le cadet de la famille et, donc, par définition, le premier à devoir se lever pour prendre sa douche. Chez les Blouin-Delorme, l'horaire matinal d'accès à la salle de bain est divisé en quarts : quinze minutes par personne, en allant du plus jeune au plus vieux. Loïc est le deuxième, donc le suivant.

Il décide de profiter de son « quart libre » pour se rafraîchir la mémoire concernant l'épisode du QG. Après tout, il ne se souvient que vaguement du « contrat » qu'il a signé hier…

Peut-être parce qu'il préférait dessiner sur sa feuille plutôt que de se concentrer sur la « dictée » de Fabrice ou sur les divagations stupides mais drôles de Sam ? Quoi qu'il en soit,

BD s'est tout bonnement contenté de recopier par automatisme les consignes que Sam s'acharnait à déformer.

Loïc ouvre le tiroir de sa table de chevet et prend une feuille posée au sommet d'une pile de planches de bandes dessinées en chantier et de croquis de sa mère qu'il conserve jalousement, étant le seul de ses fils à avoir hérité de son don inné pour le dessin.

Il déplie le précieux document et admire sa caricature de Fabrice, version dictateur, qui hurle à pleins poumons : « LA RÉVOLUTION, ÇA COMMENCE PAR LA DISCRÉTION, BANDE DE FILLETTES ! »

Le dessin a été gribouillé dans la marge, juste en dessous du titre : « Les six commandements de l'opération "Morve de chenille". »

Fabrice aurait préféré qu'ils réussissent à trouver dix commandements pour faire comme dans la Bible, donc plus sérieux, mais les gars ont commencé à manquer d'inspiration au sixième…

Ils ont donc choisi de s'en tenir à six.

Loïc, lui, n'écoutait déjà plus rendu au deuxième, alors…

Il décide de relire le « Traité anti-filles » à tête reposée en espérant sincèrement qu'il n'aura pas à regretter de l'avoir signé.

SIX COMMANDEMENTS DE L'OPÉRATION « MORVE DE CHENILLE »

1. Plutôt bouffer de la morve de chenille que de parler à une fille.
2. Les filles sont nuisibles et fatigantes. Rendons-les invisibles et transparentes.
3. La stupidité féminine est une maladie dangereuse et contagieuse ; éviter tout contact physique avec celles qui en sont atteintes, incluant nos sœurs.
4. L'amitié entre les gars et les filles est aussi IMPOSSIBLE que de réussir un *switch* 720° les yeux fermés avec les doigts dans le nez.
5. Tomber amoureux d'une fille est l'équivalent de tomber d'une falaise recouverte de cactus carnivores : c'est le suicide assuré.
6. Parler à nos mères n'est pas interdit, mais parler à nos mères de l'opération « Morve de chenille », OUI ! On s'en tient à des « oui, m'man », « t'as raison, m'man », sinon c'est la mort assurée aussi.

Le sixième commandement ne devrait pas poser problème. Difficile de confier un secret à une mère qui n'est plus là… Si Sophie était toujours en vie, Loïc n'aurait peut-être pas accepté de participer à un pacte aussi stupide.

Il avait tout juste quatre ans lorsqu'elle est décédée. Même s'il ne se souvient que vaguement de la femme qu'elle était, sa mère lui manque terriblement. Les dessins qu'elle a laissés derrière elle prouvent hors de tout doute que, malgré sa maladie, elle était l'artiste la plus spéciale et la plus lumineuse sur terre.

Depuis qu'elle est morte, les contacts de BD avec les représentantes de la gent féminine sont plutôt limités, voire inexistants. Par conséquent, respecter la grève des filles ne devrait pas représenter un si gros défi. En fait, il n'aura même pas besoin de changer ses habitudes ! À part Marion et Maryse Chevalier, il ne se souvient pas d'avoir parlé à une fille ou à une femme durant les dernières années.

Il habite avec quatre mâles, ses amis sont tous des gars et, même avec eux, il parle à peine, alors… Ce n'est certainement pas le fait de ne plus pouvoir s'adresser à Marion qui va le déranger. Au contraire !

Loïc replie la feuille en entendant les pas de son frère dans le couloir. Lucas revient à la chambre, son petit corps chétif enveloppé dans une serviette. Ses cheveux sont encore dégoulinants. Il voit le papier dans les mains de son grand frère.

— C'est quoi, ça ?

— RIEN.

C'est l'heure du « quart douche » de Loïc. Il sort de la chambre en prenant bien soin d'emporter la liste de commandements avec lui.

« On n'est jamais trop prudent… »

Une porte claque derrière lui. Mathis est debout au milieu d'une immense pièce vide et sombre.

Il se fout pas mal de l'obscurité et du fait qu'il n'y a absolument aucun meuble dans la pièce. Après tout, chez lui aussi les meubles se font rares : ses parents prétendent que c'est feng shui quand, dans le fond, c'est une question d'économies…

Ce qui dérange vraiment Mathis dans l'atmosphère écrasante des lieux, c'est… le silence.

Depuis le claquement de porte, plus rien. Silence total.

Le plus étrange, c'est qu'il a la certitude d'être en train de rêver. Normalement, les rêves de Mathis sont toujours accompagnés d'une trame sonore. Il voudrait passer la main devant ses oreilles pour s'assurer que ses tympans fonctionnent correctement, mais il n'y arrive pas. Normal ; ses bras sont ligotés derrière son dos.

Il entend enfin un bruit. Une sorte de froissement de tissu, comme si quelqu'un se débattait dans une robe de chambre en papier. Le froissement est suivi d'un autre bruit, gluant cette fois. Et nettement plus proche.

Une lumière s'allume au-dessus de sa tête. Mathis regarde l'ampoule se balancer au bout de son fil. Il baisse les yeux et voit une fille devant lui. Son visage est recouvert d'un masque jetable d'hôpital. Il remarque qu'elle porte aussi une jaquette d'hôpital. Le regard de Mathis croise celui de la fille.

Il la reconnaît. C'est…

— *¡Flora ! ¿Que te paso*[11] *?*

La belle Dominicaine essaie de lui répondre, mais les mots se perdent dans son masque protecteur. Elle a l'air terrifiée. Mathis voudrait venir à son secours, mais ses pieds sont comme… soudés au plancher.

Une deuxième silhouette se détache de l'obscurité pour venir se planter bien à la vue, au beau milieu du faisceau lumineux. Fabrice.

Le Français se rapproche de lui, un sourire malin aux lèvres. Dans ses mains, il tient un bocal rempli de grosses chenilles vivantes et gluantes.

— Tu me déçois beaucoup, Mathis. Fallait pas lui parler… Tu sais pourtant ce qui arrive, quand on parle à une fille-eu…

---

11 « Flora ! Qu'est-ce qu'il t'est arrivé ? » (En espagnol.)

Fabrice dévisse le couvercle du bocal en continuant d'avancer vers Mathis. Il plonge sa main dans les chenilles et en choisit une bien dodue et, surtout, bien visqueuse.

« Oh non, oh non ! » Mathis serre les dents. La grosse larve n'est plus qu'à quelques centimètres de sa bouche. Une force invisible lui fait desserrer les mâchoires.

— Nooooooon !

La force maintient sa bouche ouverte tandis que Fabrice enfonce la première chenille dans le gosier de son ami. Il en enfonce une deuxième, puis une troisième et ainsi de suite, en répétant :

— Crève pour la grève-eu ! Crève pour la grève-eu ! Crève pour la grève-eu !

Mathis se réveille en sursaut.

Il vérifie qu'il n'a aucune bestiole dans la bouche en explorant chaque recoin avec sa langue.

Quand il réussit enfin à reprendre ses esprits, Mathis est comme frappé d'une illumination divine : « Le vrai danger, c'est pas de se laisser contaminer par les filles. C'est de se laisser contaminer par l'imagination tordue de mes chums de gars… »

21

Loïc est de retour à sa chambre après quatorze minutes et cinquante-deux secondes. Pas un temps record, mais quand même un bon score…

Sa serviette est enroulée autour de sa taille. Il s'arrête une fraction de seconde devant le miroir pour admirer le nouveau poil qui a poussé sur son torse durant la nuit.

« *Yes !* Un de plus ! D'ici une couple de mois, mon *chest* va être une vraie forêt boréale de poils ! »

Loïc est le premier (et dernier, puisqu'il est seul dans la pièce) à être surpris par cette étrange association d'idées. Pourquoi « forêt boréale » ? Parce que la jolie prof de sciences, Maryse Chevalier, leur a raconté qu'elle y a passé l'été. À Sept-Îles. Avec son amoureux. Soupir. Des voix provenant de l'extérieur de la maison attirent son attention.

Parlant de végétation, c'est justement Sam qui fouille derrière la petite touffe de feuilles maigrichonnes qui leur sert de buisson.

On dirait bien que le petit frisé n'est pas seul derrière l'arbuste. À ses côtés, Ludovic est accroupi en petit bonhomme. Il s'empresse d'éteindre sa cigarette contre le mur de bois de la maison, ce qui est loin d'être l'idée du siècle.

Loïc lui balance :

— Qu'est-ce que tu fais ? La salle de bain est à toi !

— Pas moyen de fumer une clope en paix icitte...

Ludovic a marmonné pour lui-même, mais Sam décide d'en faire une affaire personnelle :

— Hé, le primate, moi je suis juste venu récupérer ma palette ! Tu fais ce que tu veux avec tes buissons pis tes poumons, pourvu que tu me laisses prendre mon skate.

— Il est pas ici, ton board ! Je te l'ai déjà dit. T'es sourd ?

— Il est où, d'abord ?

— J'sais pas, moi !

BD, toujours à la fenêtre :

— LUDO !

— Ta gueule ! Tu vas réveiller p'pa !

— Pis ?

Loïc défie son grand frère du regard. Ludovic lui renvoie un coup d'œil assassin.

— OK, c'est beau, j'arrive, même si je vois pas qu'est-ce que t'en as à foutre, que je prenne ma douche ou pas... En tout cas.

Il se relève de façon à dominer Sam de sa hauteur avant d'ajouter :

— Si ça peut t'aider, j'ai vu Marion rôder dans le coin hier après-midi.

— Tu penses que c'est elle qui a piqué mon skate ?

— J'sais pas, mais elle avait l'air pas mal louche…

— Ben là ! Pourquoi tu l'as laissée faire dans ce cas-là ?

— Hé, le nain, j'ai pas juste ça à faire, moi, *checker* tes affaires !

— Pff !

— Bon. Faut que j'y aille. Il me reste… (il consulte sa montre) neuf grosses minutes.

Ludovic creuse un trou dans la terre avec son pied et y enfouit son mégot de cigarette. Sam attend qu'il soit entré dans la maison pour demander conseil à son meilleur ami :

— Penses-tu que c'est possible d'ignorer une personne pis de la torturer en même temps ?

— Tu parles de Marion, de Ludo ou de ta petite voisine fatigante ?

— De Marion. Ludo, je suis pas obligé de l'ignorer ni de le torturer… Pour une fois que ton frère se comporte en primate civilisé ! Pour ce qui est de Coralie, je lui ai déjà réglé son cas en venant. Pis j'ai même pas eu besoin de lui parler !

BD secoue la tête, découragé. Pourtant, Sam n'a rien fait de mal : il a tout simplement fait son devoir de citoyen en désamorçant le piège que cette petite peste lui a tendu, encore une fois, ce matin. C'est ainsi que, par simple mesure de sécurité, la corde à danser de Coralie s'est retrouvée suspendue à la cime d'un arbre, totalement hors de sa portée...

Aux yeux de Samuel, cette expérience est la preuve qu'il est possible de se révolter en silence. Or, Marion Potvin étant reconnue pour être une bavarde endurcie, aussi bien s'attendre à ce que sa prochaine victime, elle, lui offre une certaine résistance !

Fabrice a accepté de partager sa banquette avec Xavier, mais il a quand même insisté pour s'asseoir à sa place habituelle, côté fenêtre.

En ce moment, le Français prend du soleil en observant son bras droit allongé contre le rebord de la vitre, parsemée de taches de doigts graisseux. S'il étirait son membre d'orang-outang au maximum, sa main pourrait sans doute attraper la banane qui dépasse d'un sac à lunch, deux banquettes devant lui. Fabrice se fait justement la réflexion que Chanel et Marion n'ont pas intérêt à se moquer de ses longs bras aujourd'hui, sinon… il va les ignorer comme il n'a jamais ignoré quiconque auparavant !

Xavier aussi songe à l'opération « Morve de chenille ». Il s'imagine la tête de Catou au moment où il lui a claqué la porte au visage. Du genre : les yeux presque sortis de leurs orbites et la bouche pincée, comme si elle avait avalé un citron entier. Pouahahaha !

— En tout cas, Fab, t'es un génie ! Ça marche pour vrai, ton truc d'ignorer les fi… euh… les chenilles !

— Tu m'étonnes-eu ! Si tu comptais m'apprendre quelque chose de nouveau aujourd'hui, fallait trouver mieux.

Fabrice aperçoit déjà la cour d'école à travers la fenêtre de l'autobus. Il repère Sam et Loïc parmi les élèves qui se massent devant le portail. Les autobus de l'école des Cascades de Rawdon sont réglés comme des horloges suisses ; ils arrivent en même temps, dans le même ordre, tous les jours de la semaine.

Sam parcourt la foule du regard à la recherche de Marion en pensant : « C'est clair qu'elle a quelque chose à se reprocher. Elle était pas dans le bus ce matin. C'est louche… »

Marion prend toujours l'autobus parce que ses parents travaillent au village et qu'ils n'ont pas envie de se farcir le trajet Saint-Alphonse — Rawdon deux fois par jour juste pour les beaux yeux de leur fille. On les comprend.

Malgré les apparences, Marion n'est pourtant pas bien loin. Elle est appuyée contre le mur de brique de l'école en compagnie de sa siamoise chez qui elle a passé la nuit, ce qui résout le mystère de son absence dans l'autobus.

Sam la distingue enfin dans la cohue, ce qui provoque aussitôt une réaction en chaîne. En moins de temps qu'il n'en faut pour crier : « Je t'ai vu, le *twit* ! » Xavier voit Fabrice qui voit Samuel qui voit Marion qui voit Loïc… et qui lui fait des beaux yeux.

Samuel part comme une flèche en direction des deux S.S.S. Fabrice voudrait sauter de l'autobus pour l'empêcher de les rejoindre, mais le véhicule est toujours en mouvement.

Sam se faufile entre deux groupes d'élèves de quatrième et de cinquième secondaire : les gars de l'équipe de hockey et leurs groupies (toutes des filles, sauf Étienne, le gai le plus assumé que Samuel connaisse — même s'il ne le connaît pas tant que ça… en fait, juste assez pour savoir qu'Étienne est suffisamment cool et sympathique pour ne pas trop se faire écœurer au sujet de son homosexualité. Affaire classée).

Sam émerge de la foule, toujours à la course, puis…

BANG !

Il entre en collision avec Ophélie, la fille la plus *space* et déconnectée de tous les élèves de deuxième secondaire. Sam ne se souvient pas l'avoir déjà vue discuter avec quelqu'un de l'école, mis à part avec Hugo Lachance, le prof de français qui donne des cours parascolaires de théâtre. Durant les récrés, soit Ophélie a le nez plongé dans un livre, soit elle contemple les nuages, l'air hagard.

Pas du tout le genre de fréquentation de Sam. Disons qu'avant qu'il lui rentre dedans comme une auto tamponneuse, il n'avait jamais eu l'occasion ni même l'intention d'adresser la parole à

Ophélie. Et ce n'est certainement pas aujourd'hui que ça va changer.

Sam repart sans même s'excuser. Ce n'est pas qu'il veut lui manquer de respect ; c'est juste qu'il a un pacte à respecter.

Même si, bon, il s'apprête quand même à le « briser » pour dire sa façon de penser à Marion… Sauf qu'une seule personne — quand c'est une question de vie ou de mort —, ça ne compte pas, non ? Passer une fin de semaine complète sans faire de skate, c'est vraiment trop lui demander. Fabrice devrait comprendre.

Sam bondit en direction de Chanel et de Marion.

Heureusement pour lui, Mathis arrive sur ces entrefaites, ce qui provoque une deuxième réaction en chaîne : le grand Noir athlétique bondit sur Sam tel un jaguar, le bouffon frisé rebondit comme sur un ressort vers Marion qui bondit sur place comme une nunuche.

En effet, à la demande spéciale de Chanel, sa siamoise sautille stupidement (S.S.S.S.) pour tenter d'apercevoir l'endroit où la mèche de cheveux a été coupée, le but étant évidemment d'évaluer le degré d'apparence du « cratère » sur une échelle de 1 à 10… Même si, en réalité, Chanel a utilisé tellement de fixatif pour tirer sa frange vers l'arrière et, ainsi, camoufler les dégâts laissés par le météorite bleu que Marion aurait besoin de la vision rayon X de Scientifi-X (alias Maryse Chevalier) pour deviner ce qui se trouve derrière cet épais rideau de cheveux.

Mathis atterrit en criant, comme au ralenti :

— Noooooooooon !

Son cauchemar est apparemment encore très frais dans son esprit ; il se demande toujours jusqu'où Fabrice serait prêt à aller pour s'assurer de la fidélité de sa troupe.

Les S.S.S. sont tellement concentrées sur leur tâche « cruciale » qu'elles ne remarquent pas la présence des gars, à quelques mètres de là. Soit elles n'ont rien entendu, soit elles sont de sacrées bonnes actrices, ce qui serait surprenant.

Mathis attrape Sam par le bras pour le retenir, mais celui-ci est extrêmement déterminé à continuer d'avancer. Loïc décide de venir en aide à Mathis en se chargeant de l'autre bras.

Sam est maintenant immobilisé, hors d'état de nuire.

Au moment où Xavier et Fabrice les rejoignent, Mathis en est à tester les techniques de relaxation de sa mère sur Samuel.

— Respire, Sam. Fais comme si elles étaient pas là… Prends de graaaaaandes inspirations. C'est ça. Paaaaaarfait !

— Voyons, Mat. Tu me niaises-tu, là ? Elle m'a volé mon skate, la vache ! J'ai pas envie de respirer, j'ai envie d'aller l'engueuler comme du poisson pourri !

Le dictateur s'en mêle.

— Tu as la mémoire courte, Sam… C'est exactement le contraire de ce qu'on s'est engagés à faire, pas plus tard qu'hier…

— Oh, *come on*, Fabrice ! Si j'peux pas lui parler, comment je suis censé lui faire comprendre que je VEUX RAVOIR MON SKATE ?

— Ben, t'as qu'à développer des dons de télépathie !

— Très drôle !

*

De son côté, ce ne sont pas des dons de télépathie qu'Annabelle voudrait posséder ; ce sont plutôt des dons de téléportation.

Elle pourrait faire des allers-retours entre Rawdon et Pont-Rouge. Aller saluer Léa avant le début des cours. Retourner à l'école de Rawdon. Aller manger une poutine au moulin Marcoux pendant l'heure du dîner, puis aller profiter du beau temps aux Galets[12] dans l'après-midi. Sauter

12 Un endroit vraiment tripant situé à l'entrée (ou à la sortie, c'est selon) de Pont-Rouge, surtout fréquenté par les kayakistes et les jeunes du coin, qui viennent s'y payer des montées d'adrénaline (gratuites !) en se baignant dans les rapides de la rivière. Le site est sans doute surnommé « les Galets » en raison des pierres plates, appelées galets, qui s'alignent le long de la rive comme de grosses galettes superposées.

dans la rivière, se faire bronzer, puis revenir à Rawdon pour souper. Ouais… ce serait vraiment génial.

Parce que, pour l'instant, Annabelle n'a vraiment personne avec qui passer le temps…

Le petit groupe de skateurs discute à une douzaine de mètres d'elle. Elle meurt d'envie de les rejoindre.

« Il faut que j'aille leur parler. Pas le choix. On est déjà rendu au jour 2 et j'ai toujours pas d'amis. Faut au moins que j'essaie de me trouver des alliés avant que Chanel décide de me bouffer toute crue, pis que… la Vipère lui confisque mes restes pour les bouffer durant la prochaine récré. »

Annabelle hésite, puis fait un pas.

« OK, j'y vais. »

Elle se rapproche des cinq skateurs en s'improvisant un sourire cool. Ou plutôt, qui se veut cool. Côté crédibilité, elle espère gagner des points grâce à ses lunettes de soleil Roxy, style rétro. Annabelle sait qu'elles lui donnent un look d'enfer.

Alors, elle prend son courage à deux mains (elle le prendrait aussi avec ses pieds, si c'était physiquement possible) et…

— Bras cou pour le veau de la morve !

En réalité, ce qu'Annabelle voulait dire c'est : « Bravo pour le coup de la morve ! »

Mais c'est raté, on dirait.

Elle espérait que sa tactique d'approche décontractée et ses lunettes fumées seraient suffisantes pour créer un début de complicité avec ses futurs alliés, mais… Elle s'est trompée. Le petit frisé ne prend même pas la peine de la regarder.

Annabelle s'éloigne en se traitant de tous les noms : « Maudite épaisse ! "Bras cou pour le veau de la morve", ça veut rien dire ! C'est quoi, le problème avec moi ? Méchante retardée ! »

Lorsqu'elle est suffisamment loin pour ne plus les entendre, les gars se permettent enfin de reprendre leur conversation, Sam le premier, évidemment.

— Hein ? Qu'est-ce qu'elle a dit, Shakira junior ?

— Oh, la conne-eu ! Je crois qu'elle a parlé de mes bras… T'as bien fait de l'ignorer, Sam. Maintenant, je reconnais mon frère-eu ! Félicitations, compagnon !

— Ouin. Bravo, l'gros ! fait Loïc.

— C'est vrai, ça ! *Good job*, Bob, ajoute Xavier, trop content de participer au petit jeu des rimes.

— Euh… *nice attitude, dude* ? complète Mathis, pas du tout convaincu de ce qu'il dit.

Il doute que cette fameuse opération « Morve de chenille » soit une solution à leurs problèmes. En fait, un petit quelque chose lui dit qu'elle risque même de leur attirer de nouveaux ennuis…

Chez les Lebel, l'atmosphère est à couper au couteau. Normal : Xavier s'apprête à souffler ses treize bougies et à partager son gâteau.

Et le voir avec un couteau à la main est loin d'être rassurant. Le Roux est tellement nerveux et maladroit que ses invités pourraient s'attendre à n'importe quoi.

Pourtant, si l'ambiance est tendue, ça n'a rien à voir avec le danger qui guette Xavier. Non. La vraie coupable de ce « malaise ambiant » est Ariane.

Son insupportable grande sœur s'est une fois de plus chargée de lui gâcher la soirée. Et pas n'importe laquelle... Sa soirée d'anniversaire !

Xavier avait pensé que ce serait une super-idée d'inviter son père à se joindre à eux pour souligner ses treize ans. Il voulait être entouré de tous ceux qui comptent à ses yeux au moment de souffler ses chandelles et de faire son vœu. La présence d'Ariane était bien sûr très facultative, mais sa mère a insisté pour qu'elle soit là, alors...

Xavier a accepté que sa sœur soit présente à condition qu'elle se tienne tranquille. Il avait convenu avec Ariane, par écrit, qu'elle ne lui adresserait pas la parole, pas plus qu'à ses amis.

À ce moment, Xavier ignorait encore qu'il aurait dû lui interdire de parler avec leur père aussi…

Quand Antoine est arrivé en compagnie de Fabrice, de Sam et de Loïc — qu'il était passé prendre en chemin —, Ariane l'a accueilli en disant :

— Pis, papa, comment ça va avec Catou ? Ça doit te faire drôle de sortir avec une p'tite jeune ! En tout cas, moi, je trouve ça l'fun. Elle est cool, Catou.

La gourde !

— Ouin, les nouvelles vont vite, à ce que je vois…

C'est tout ce que leur père a répondu pour sa « défense ». Depuis, silence total et malaise extrême, à part pour Fabrice, qui n'a visiblement pas saisi la gravité de la situation.

Xavier est maintenant coincé en sandwich au bout de la table, entre sa mère et son père qui s'ignorent, pendant que Fabrice se comporte comme si c'était lui qu'on était venu célébrer.

En effet, depuis le début du souper d'anniversaire, le Français monopolise la conversation en racontant des anecdotes sur tout et sur rien. Il faut dire qu'il est le seul, autour de cette table, à être assez inconscient pour jacasser malgré l'embarras général.

— Il a l'air délicieux, ce gâteau ! J'ADORE le chocolat, sauf que mes parents m'interdisent d'en manger à la maison... C'est à cause du diabète de mémé, voyez ? Faudrait pas qu'elle succombe à la tentation ! Mais moi, j'suis pas obligé de m'en priver, vous savez ! D'ailleurs, je suis impatient d'y goûter. C'est vous qui l'avez fait, madame Lebel ?

— ...

— Le gâteau, c'est vous qui l'avez fait ?

— ...

Silence...

Malaise...

De son côté, Xavier tente une approche différente :

— Maman, est-ce que papa t'a dit que j'allais passer la fin de semaine prochaine chez lui ? Les gars pis moi, on a prévu d'aller à Saint-Côme pendant le Festival des couleurs pour aller *rider* avec nos vélos de montagne.

— ...

Ariane commence à s'impatienter. Elle s'emmerde royalement et meurt d'envie de sortir de table. Ce foutu souper a assez duré !

L'adolescente ne s'imaginait pas qu'un tout petit commentaire de rien allait avoir de telles conséquences ! Comme s'il y avait de quoi en faire tout un plat ! Ariane tortille nerveusement une mèche de ses cheveux couleur de feu. Elle voudrait dire à son frère de se grouiller, mais elle a promis de ne pas lui parler…

— Tu les souffles-tu, tes chandelles, qu'on mange le gâteau ? Mes amies m'attendent.

Oups ! Elle s'est échappée. Xavier fait comme s'il n'avait rien entendu.

— Les gars, est-ce que ça vous dérange qu'on attende Mathis pour le gâteau ?

— Euh… non, non.

— Ben, dans ce cas-là, moi, je mange mon morceau pis je fous le camp ! Ça fait déjà vingt minutes que je devrais être chez Marisa.

S'il est déçu qu'Ariane veuille partir aussi vite, Loïc n'en laisse presque rien paraître.

— On n'a pas besoin de l'attendre. Mat avait juste à être là…

— Peut-être, mais il a pris la peine d'appeler pour avertir qu'il serait en retard…

Mathis devait finir d'aider sa sœur à « réorganiser le frigo par groupes alimentaires » (? ! ?) avant de venir. Chaque samedi, c'est la même histoire. Les parents adoptifs de Mathis et de Jade leur trouvent une nouvelle activité éducative bizarre pour mieux les endoctriner dans leur trip de conscience écolo. Après le cours de « compostage pour les nuls » et de « recyclage 101 », voici venu le samedi du « grand triage selon le *Guide alimentaire canadien* ». Le plus étonnant, c'est qu'au lieu de s'en plaindre, Mathis semble prendre plaisir à ce type d'activités familiales !

Xavier se dit qu'à bien y penser, avoir des parents qui s'ignorent est nettement moins étrange que d'avoir des parents aux idées bizarres…

— Bonne fête, Xavieeer. Bonne fête, Xavieeer. Bonne fêteee, bonne fêteee, bonne fêteee, Xavier. Bon, on peut manger ?

Après avoir fredonné la chanson de circonstance en version hyper-accélérée, Ariane prend le couteau posé devant son frère dans l'intention de se servir une part du gâteau.

— HÉ ! J'ai pas encore soufflé mes chandelles !

Un sentiment de culpabilité envahit Xavier. Il a parlé à sa sœur. Devant ses amis, en plus ! Il lance un regard désespéré à Loïc, à Sam et à Fabrice, l'air de dire : « Désolé, les gars. Elle l'a cherché. »

— Ben, qu'est-ce que t'attends ? C'est clair que ton ami viendra pas, sinon il serait déjà là.

Xavier soupire, ferme les yeux, puis prend une grande bouffée d'air (treize chandelles, ce n'est pas rien !). Il est sur le point de souffler, mais…

ZING ZIIIIIIIIING !

Les Lebel sont peut-être une famille « ordinaire », mais leur sonnette ne l'est pas. En fait, son hurlement strident est tellement surprenant que tout le monde sursaute autour de la table, y compris Xavier.

Sauf que le Roux a un couteau et treize bougies allumées à proximité... Et ce qui devait arriver arrive. En ayant le réflexe de se retourner vers la porte d'entrée, Xavier a le malheur d'aller ficher la manche de son chandail dans les flammes. Évidemment, la manche prend feu, et le rouquin panique. Il secoue son bras enflammé devant ses yeux. Son autre bras gigote par solidarité et accroche le couteau sagement posé devant lui. Le couteau pivote sur lui-même avant d'effectuer un vol plané vers le plancher. La lame s'enfonce dans le tapis, à quelques centimètres à peine du pied de Xavier, qui continue d'agiter les bras comme s'il essayait de s'envoler.

Heureusement, son patrouilleur de père a l'habitude d'agir sous le coup de l'impulsion. En matière d'urgence, Antoine s'y connaît.

Il tire la nappe d'un coup sec et vigoureux afin de l'utiliser comme pare-feu. Le gâteau, les couverts et les assiettes virevoltent dans tous les sens avant de se répandre sur le tapis beige dans un boucan infernal.

En quelques secondes à peine, Antoine parvient à maîtriser la petite flamme. Ariane observe la moquette beige tachée de chocolat.

— Bon. Ça règle le problème. Pas de gâteau !

ZIIIING ZIIIIIIIIIIIING ! (Nouveau coup de sonnette, plus insistant.)

— Ariane, au lieu de dire des niaiseries, va donc répondre à la porte ! hurle Jo Ann tandis que son ex-mari relève la manche de leur fils pour évaluer les dégâts.

Ariane s'exécute sans broncher.

— Plus de peur que de mal, on dirait. T'as été chanceux : le feu a pas eu le temps d'atteindre ton épiderme. Est-ce que ça brûle ? demande Antoine à Xavier.

— Un peu…

En fait, ça sent surtout le poil brûlé.

— Ça devrait pas faire de cloques, mais je vais quand même te faire un bandage pour être sûr.

— OK…

Xavier fait de gros efforts pour ne pas se mettre à pleurer. Il ne voudrait surtout pas passer pour un dégonflé devant ses amis et son père. Mais, dans sa tête, les idées se bousculent : « J'ai tout juste treize ans, pis je passe déjà à deux doigts de me tuer en mettant le feu à la maison… Ça promet ! C'est peut-être à cause du treize. Treize chandelles, ça porte malheur. J'haïs le nombre treize. HAAAAAAAAAAA ! C'est peut-être le début d'une longue année malchanceuse ? Peut-être même que… JE VAIS

MOURIR CETTE ANNÉE ? » Parano, vous dites ?

Mathis choisit ce moment pour entrer dans l'appartement. Apparemment, son sens du timing laisse une fois de plus à désirer…

— Salut, les gars ! Est-ce que j'arrive trop tard ?

— Ouais… Tu viens de manquer les feux d'artifice.

— Hein ?

Mathis voit le bras de Xavier, que son père s'applique à recouvrir d'un bandage. Antoine traîne toujours sa trousse de premiers soins avec lui. Soit c'est un homme prévoyant, soit il connaît trop bien son fils…

Dans le vestibule, aux côtés de Mathis, Ariane enfile son manteau.

— M'man, est-ce que je peux aller rejoindre mes amies ?

Un torchon à la main, Jo Ann s'acharne à faire disparaître les traces de glaçage au chocolat de son beau tapis. Elle relève la tête, découragée.

— Quoi ? Oui, oui, c'est beau. Tu peux y aller…

Ariane ne se fait pas prier. Elle sort de l'appartement en hâte, de peur que sa mère change d'idée et lui demande de l'aider. Dès que la porte se referme sur l'adolescente, Jo Ann laisse tomber une de ses fameuses phrases pleines de sous-entendus :

— Xavier, ton père pis moi, faut qu'on parle. Vous devriez aller déballer les cadeaux dans ta chambre pendant qu'on nettoie ton dégât, mon cœur.

Oui. Ça veut tout dire.

Xavier et Antoine captent le message 5 sur 5. Le père se cale dans sa chaise, l'air de dire : « Ça fait seize ans qu'on parle ! »

Le fils, quant à lui, décide de se comporter en bon petit garçon (chien ?) docile. Comme l'exige le sixième commandement de l'opération « Morve de chenille », Xavier répond à Jo Ann :

— Oui, m'man. Bonne idée, m'man.

Tandis que les cinq garçons se dirigent vers la chambre de Xavier, Mathis chuchote à ce dernier :

— C'est-tu moi, ou j'arrive au mauvais moment ?

S'il existait un trophée de la perspicacité, c'est à Mathis qu'on devrait le décerner…

24

C'est ainsi que Loïc, Fabrice, Sam et Mathis se retrouvent entassés dans la chambre format réduit de Xavier. La pièce n'est pas plus grande qu'une garde-robe, mais le Roux est soulagé d'échapper à l'atmosphère glaciale, et surtout à la discussion parentale. Ses amis aussi.

Fab, lui, n'a toujours pas trouvé la motivation nécessaire pour se taire:

— Je t'avais dit d'organiser ta fête au Bigfoot[13] plutôt que chez toi ! Il y aurait eu autant de dégâts, mais au moins, on aurait pu se défouler !

— Fab ? demande Loïc en pratiquant son regard qui tue.

— Quoi ?

— Ta gueule.

— Non, mais c'est vrai ! J'ai raison ou pas ?

Personne ne répond, tous autant occupés qu'ils sont à trouver une façon de respirer sans inhaler les aisselles de celui d'à côté. En effet, la pièce est si exiguë que les cinq garçons sont

13 Immense centre de paintball situé à Saint-Alphonse-Rodriguez. Bigfoot est réputé pour être le terrain de simulation militaire le plus impressionnant, mais aussi le plus populaire de la province.

forcés de se contorsionner comme au jeu Twister : le genou gauche de Fabrice dans les côtes droites de Mathis, le coude droit de Loïc dans le front de Sam, etc. Le confort total… pour des heures de plaisir et de rire !

Xavier profite de l'intimité du spacieux placard qui lui sert de chambre pour déballer ses cadeaux en compagnie de ses amis. Au fil des ans, une tradition s'est installée entre les garçons : chaque anniversaire est devenu pour eux l'occasion de s'échanger des objets dont ils veulent se débarrasser ou encore des bidules pour lesquels ils n'ont pas eu à débourser. Ils peuvent, par exemple, se refiler les bébelles indésirables reçues le Noël passé ou encore fabriquer à la main un petit cadeau personnalisé. Instaurée par Mathis, cette coutume s'est en quelque sorte transformée en un échange de bons procédés.

— Lequel j'ouvre en premier ?

— Le nôtre, c'est clair ! répond Sam en lui tendant un Publisac.

Côté emballage, tout porte à croire que Loïc et Sam ne se sont vraiment pas cassé la tête cette année. Pour justifier ce choix douteux, deux hypothèses sont possibles : 1) ils voulaient offrir à Xavier les circulaires de la semaine en espérant que les rabais du Metro de Saint-Alphonse-Rodriguez « l'emballeraient » ; 2) ils ont tout bonnement inséré le cadeau de Xavier dans un Publisac vide. D'une façon ou d'une autre, force est d'admettre que le choix de l'emballage est d'un chic irréprochable. Mouais...

Le Roux n'ose pas l'ouvrir. Venant de Sam, il ne sait pas trop à quoi s'en tenir... Ça pourrait être une farce de style Publitrappe (dans le genre: une trappe à souris qui claque sur tes doigts quand tu mets la main dans le sac).

— Le cadeau, c'était une idée de Loïc.

— Ouin. Pis l'emballage, c'était une idée de Sam...

Voilà que tout s'explique. Xavier est momentanément rassuré. Si la surprise est de Loïc, elle promet d'être moins... diabolique.

Xavier plonge sa main dans le « sac-cadeau » en fermant les yeux. Quand il les rouvre, il découvre une bande dessinée. Pas le genre de bédé qu'on achète au magasin; plutôt du type « faite à la main ». Le plus impressionnant, c'est que le héros de cette œuvre artisanale n'est nul autre que...

... lui! Ou plutôt, sa version caricaturale nommée... Roux Flaquette. En effet, la bédé s'intitule *Roux Flaquette, c'est pas une mauviette!*

— Ayoye! C'est ben original! J'en reviens pas que vous ayez fait ça pour moi, les gars! BD, c'est toi qui as fait les dessins?

— Ouais.

— Moi, je l'ai aidé pour les gags, annonce fièrement Sam.

— Et le titre, ça vient de moi!

Fabrice n'allait surtout pas laisser passer l'occasion de s'approprier les 2 % de mérite qui lui reviennent.

— Cool! Mais... euh... ça veut dire quoi, ton titre, justement? C'est quoi, une flaquette?

— Les « rouflaquettes », ce sont les petites touffes de cheveux qui te poussent près des oreilles. Des favoris, quoi.

— AAAH! Pis toi, Mathis, qu'est-ce que t'as fait?

— Moi... euh... rien.

— Ah! En tout cas, elle est *sick*, votre bédé, les gars! Merci.

— Bah, c'est vraiment rien!

Loïc est trop modeste. Sa bande dessinée est un vrai petit bijou d'imagination. Xavier est tellement ému d'être le héros d'une bédé créée par ses amis qu'il est à un poil (roux) de se mettre à pleurnicher pour la deuxième fois de la soirée. Mais il ne voudrait surtout pas avoir l'air d'une « mauviette » devant les gars... Après tout, ce ne serait pas très politiquement correct de démentir le titre si difficilement trouvé par Fabrice! Et comme pleurer de joie ne correspond pas tout à fait au profil de la virilité incarnée, Xavier se contente d'ajouter :

— En tout cas, j'ai vraiment hâte de lire ça !

— Ouais ! Tu nous en donneras des nouvelles.

— Ben là, c'est évident ! Bon. Je déballe lequel maintenant ?

— Celui de Mathis !

Mathis tape un rythme imaginaire de son pied, ce qui signifie qu'il est plus qu'embarrassé...

— Bah... tu serais peut-être mieux de le garder pour la fin, le mien. Genre quand tout le monde va être parti.

— Houuuuu ! Mat donne des petites culottes au Roux !

— T'es con, Sam ! dit Mathis en riant. Non, c'est juste que... c'est vraiment nul comme cadeau à côté d'une bande dessinée...

— Je suis sûr que c'est pas si pire que ça.

Xavier commence à déchirer le papier brun recyclé qui recouvre le cadeau.

— Je te le dis d'avance, c'est une idée de ma mère. Pas la mienne.

Xavier découvre une petite boîte rectangulaire remplie de sachets de...

— THÉ ?

Dans sa tête, il pense : « ??? » Il ajoute :

— Ta mère t'a convaincu de me donner du thé ?

— C'est pas n'importe quel thé: c'est du thé vert de Chine.

— On sait lire, Mat.

— Ouais, mais, celui-là, il est vraiment rare. Il est équitable, pis c'est Rodrigue qui l'a ramené de son dernier trip humanitaire en Asie. Ce thé-là n'existe même pas au Québec.

Fabrice fait semblant d'être fasciné par ce que Mathis raconte.

— Wouah, jojo, ta petite histoire-eu! Sauf que… t'as peut-être pas remarqué, mais le Roux n'a pas tellement la tronche d'un buveur de thé!

— Ouais, mais… il y a plein de trucs hyper-relaxants là-dedans. Pis toi, Xavier, ben… t'es du genre stressé. Ça fait que Sylvie a pensé que ça pourrait t'aider à relaxer. Genre… euh… avant les examens pis les compétitions. Ben, si un jour tu participes à une compétition…

— Ha! ha! J'imagine le Roux se cachant dans son casier avant un exam pour boire de l'eau chaude qui goûte la pisse!

— Ça goûte pas la pisse. C'est pas pire comme goût. Pis je vous jure que ça marche vraiment.

— Qu'est-ce que t'en sais?

— J'ai déjà essayé. Avant l'exam de maths du ministère l'année passée.

— Toi, Mathis, encore plus relax ? Pouahahaha ! C'est surprenant que tu sois arrivé dans le local avant la fin de l'examen !

— C'est ça, fous-toi de ma gueule si tu veux. Mais tu sauras que j'avais tellement le focus que j'ai répondu à toutes les questions d'une traite.

— Pis combien t'as eu finalement ?

— Ben... 62 %. Mais c'est pas une question de résultat, c'est une question d'état d'esprit...

Sam ricane malicieusement. Devant la mine sceptique de ses amis, Mathis décide de s'avouer vaincu. Bon joueur, il dit :

— Ah ! pis laissez faire, *dudes*. Je sais même pas pourquoi j'essaie de vous convaincre. Mon cadeau est nul, pis je le sais autant que vous, conclut-il en éclatant de rire.

C'est maintenant au cadeau d'Antoine d'être déballé. Xavier sait qu'il devrait attendre que son père soit présent pour l'ouvrir, mais il est tellement impatient de découvrir le nouveau gadget de plein air que son paternel lui a déniché cette année qu'il décide de faire une entorse au règlement. De toute manière, les éclats de voix qui proviennent du salon lui confirment qu'Antoine n'est pas prêt de s'en tirer. Alors, que son père lui donne la permission ou pas, Xavier décide de s'accorder lui-même l'autorisation. Après tout, c'est SON anniversaire, c'est donc lui qui décide !

Le Roux déchire l'emballage d'un geste fébrile. Il n'a jamais été déçu par ses cadeaux, et celui-là ne risque pas de faire exception…

Quand il voit le nouveau sac à dos H4 Campack de O'Neill, caméra numérique intégrée, Xavier est tellement bouche bée que sa mâchoire en tombe. Il ressemble désormais à un pantin aux mandibules disloquées.

Autour de lui, la réaction de ses amis ne tarde pas.

— Wow ! Fais voir. Il est trop MALADE avec sa caméra ! lance Sam, les yeux ronds comme des roulettes de skate « flambettes ».

— Ouais, ton père, il est bonnard[14] ! s'exclame Fabrice.

— Mets-en. C'est débile. Avec ça, on va pouvoir filmer tous nos *tricks*, ajoute Mathis.

— Ouin. Ça, c'est SI je récupère mon skate un jour…

La mâchoire de Sam se crispe tandis qu'il exprime à haute voix ce qu'il se retient de dire depuis plusieurs jours :

— C'est clair que mes parents voudront jamais m'en acheter un nouveau. Celui-là était presque neuf… Pis Marion a vraiment pas l'air partie pour me le rendre. En tout cas, peut-être que si je pouvais lui parler, ce serait différent…

14 Bon, super, en langage familier.

— Ouais, c'est vrai, ça...

BD est toujours le premier à soutenir son meilleur ami. La preuve:

— On devrait peut-être revoir nos règlements...

— Qu'est-ce que tu veux dire-eu?

— Ben... euh...

Le soutien de Loïc aura été de courte durée. Puisqu'on n'est jamais mieux servi que par soi-même, Sam se charge de relancer la machine:

— BD pis moi, on en a parlé, pis... on pense qu'on devrait changer notre devise. Genre... ça pourrait devenir: «Plutôt bouffer de la morve de chenille que devenir ami avec une fille»...

— C'était pas déjà ça, notre devise? demande Xavier.

— Non, c'était de «parler avec une fille». Mais ça fait au moins une semaine qu'on a arrêté de parler aux filles, pis jusqu'à présent tout ce que ç'a donné, c'est que Chanel pis Marion continuent de nous insulter, mais que maintenant on peut plus répliquer...

Un silence implacable s'abat sur la chambre-placard. Tout le monde réfléchit aux paroles de Sam, le «grand sage». C'est Mathis qui se décide enfin à rompre le silence, en faisant timidement remarquer:

— L'école pis nos parents nous imposent déjà assez de règlements. Pas besoin de s'en rajouter entre *bros*, non?

— Les règlements sont la base d'une société civilisée ! déclare Fabrice avec le sérieux et la prestance d'un grand politicien, et ce, malgré le fait que les frisottis rebelles de Mathis lui chatouillent les narines.

— Peut-être qu'on n'a justement pas le goût d'être « civilisés », propose Mathis, toujours intimidé.

— Ouais ! Moi, je pense qu'il faudrait changer de stratégie, les gars. Faudrait trouver un moyen pour faire parler Marion.

— Ou pour l'écouter parler…

Loïc ramasse le sac à dos O'Neill, laissé sur le lit, comme guidé par une illumination. Sam comprend le message :

— C'est vrai, ça ! On a juste à se servir du nouveau joujou de Xavier pour filmer Marion sans qu'elle le sache. Elle va ben finir par dire où elle l'a caché un jour ou l'autre.

Bien qu'elle ne vienne pas de lui, l'idée plaît à Fabrice. Un petit pas pour l'homme (enfin, l'ado), un grand pas pour l'humilité !

— La caméra est assez subtile, j'en conviens. Si on la cache un peu, Marion ne se rendra sans doute même pas compte qu'on la filme-eu…

— Ouais, mais… pour ça, il faudrait que, nous aussi, on soit subtils, reconnaît Loïc.

— Chanel pis Marion passent leur temps dans les toilettes des filles. On pourrait se cacher dans une cabine ! On aurait juste à mettre le sac par terre avec la caméra en direction des lavabos.

— Cinq gars dans des toilettes de filles, tu trouves ça subtil, toi, le Roux ?

— Cinq gars, non. Mais si c'est juste moi qui y vais, OUI, c'est subtil ! s'exclame Sam.

Depuis qu'ils se sont rencontrés à la cafétéria de la station Val Saint-Côme, Xavier est l'admirateur numéro un de Sam. C'est vrai. Il avait à peine neuf ans que, déjà, le mini-roux rêvait secrètement d'être aussi comique, effronté et casse-cou que son ami à bouclettes.

Mais ce soir, pour la première fois de sa vie, Xavier donnerait tout (sauf son sac à dos O'Neill) pour pouvoir lui voler la vedette.

Il voit une occasion en or de prouver à ses amis, et surtout au petit bouffon frisé, qu'il a l'étoffe d'un héros de bande dessinée. Xavier n'a pas l'intention de laisser passer cette chance ! Après tout, il n'est pas une mauviette : il est… ROUX FLAQUETTE !

— C'est *sick* comme idée ! J'embarque. Mais c'est MOI qui y vais. C'est MON sac.

— Peut-être, mais c'est MON idée.

— Si je te prête pas MON sac, comment tu vas faire pour la mettre à exécution, TON idée ?

— OK, dans ce cas-là, je te propose qu'on passe au vote. Qui vote pour que ce soit moi qui espionne Marion ?

Fabrice et Loïc lèvent leur bras. Sam aussi.

— Qui vote pour que ce soit le Roux ?

Mathis lève la main en accrochant le nez de Fabrice au passage.

— Merci, Mat ! disent Xavier et Fabrice en même temps, mais sur un ton totalement différent.

Autant le remerciement du rouquin est sincère, autant celui de la grande échalote française ne l'est pas. Sans même relever la pointe lancée par le Français, Mathis explique à Xavier :

— C'est ben parce que c'est ta fête, *dude*...

Sam annonce, satisfait :

— Trois contre un. Bon, c'est réglé. C'est moi qui vais y aller !

— C'est pas juste. T'avais pas le droit de voter pour toi-même !

— T'avais juste à le faire, toi aussi. Mais... t'aurais même pas gagné, ça fait que..., dit Sam avec un grand rictus baveux dont lui seul a le secret. Lundi midi, ça vous va ?

— Parfait !

— On va lui prouver, à cette petite conne de voleuse, qu'on a plus d'un tour dans notre sac ! Mouahaha !

— Euh... dans MON sac.

Quand une idée germe dans la tête rousse de Xavier, difficile de l'en déraciner…

25

— QU'EST-CE QUE TU FAIS LÀ, TOI ?

— Euh…

« Merde ! » pense Sam.

Que la grande sœur de Xavier entre dans les toilettes durant sa mission ne faisait pas partie de son plan. Qu'Ariane reconnaisse le sac à dos O'Neill de son frère non plus.

Pourtant, Samuel était persuadé d'avoir trouvé LA cachette parfaite… C'était avant qu'Ariane passe sa grosse tête rousse au-dessus de la cabine d'à côté.

— Je savais que les amis de mon frère étaient cons, mais je pensais quand même pas qu'il se tenait avec des pervers ! Filmer dans les toilettes des filles… c'est dégueulasse !

— Euh… c'est pas ce que tu penses, Ariane.

— On s'en fout, de ce que je pense. Mais je te le dis tout de suite : si t'es pas sorti des toilettes dans les dix prochaines secondes, j'appelle le surveillant !

Première et dernière tentative d'espionner Marion dans les toilettes des filles: ÉCHOUÉE.

*

Finalement, Ariane n'a pas appelé le surveillant, mais…

Ça ne l'a pas empêchée de faire savoir à la moitié de l'école qu'« un petit pervers et voyeur de secondaire deux s'amuse à filmer en cachette dans les toilettes des filles devant la cafétéria ».

En fait, Ariane l'a raconté à une seule personne: Marisa, sa meilleure amie, qui adore les secrets, les rumeurs et autres potins croustillants. Sauf que… tout le monde sait que raconter un « secret » à Marisa équivaut à l'annoncer sur scène avec un micro durant un gala de fin d'année.

Avant la fin de la journée, la rumeur du « pervers à la caméra » avait fait le tour de l'école au moins deux fois déjà et… avant la fin de l'heure du dîner, Sam était convoqué au bureau de la directrice pour la deuxième fois de l'année.

Deux fois en deux semaines. Bonne moyenne!

Manquer son cours de maths pour aller visiter Mme Richard ne le dérangeait pas du tout. Mais rater son coup et perdre une heure de son après-midi et de sa vie en retenue sous l'agréable supervision de la Vipère, oui. Et que la directrice rencontre son père pour discuter de son comportement durant sa période de retenue, aussi.

À cet instant précis, Sam a l'impression d'être... complètement à poil dans ce grand local vide. Tout nu, à découvert.

Si se trouver dans la classe de la Vipère entouré de vingt-huit autres élèves est déjà terrifiant, se retrouver seul avec elle est carrément flippant, d'autant plus que l'« en-saignante » semble n'avoir rien de mieux à faire que d'essayer de réduire Samuel en cendres grâce à son redoutable regard incendiaire.

Sagement assis à un bureau, le petit frisé tente de l'ignorer en gardant les yeux fixés sur l'horloge plutôt que sur la dissertation qui lui a été imposée. Il voit les secondes défiler, mais l'aiguille des minutes reste désespérément figée. Immobile comme la Vipère et ses yeux de reptile hypnotiseur.

— Vous auriez intérêt à vous concentrer sur votre rédaction, monsieur Blondin. Je l'attends sur mon bureau à la fin de la période, sans faute.

« Pff ! Se concentrer... facile à dire ! »

Il repense pour la millième fois à l'expression dégoûtée d'Ariane au moment où elle l'a démasqué. La réputation de Samuel Blondin vient de prendre toute une claque ! Quand les élèves de l'école secondaire des Cascades — les filles surtout — décident de te coller une étiquette, c'est pour la vie.

Sam imagine Ariane et Marisa à l'âge de quatre-vingt-quatre ans, en train de faire aller leurs dentiers dans leur résidence de l'âge d'or, en repensant aux vieux potins du secondaire :

— Tu te rappelles Samuel Blondin ?

— QUOI ? PARLE PLUS FORT !

— Samuel BLONDIN, TU T'EN SOUVIENS ?

— AH OUI, LE PETIT VICIEUX DE SECONDAIRE DEUX !

— À ce qu'il paraît, il a recommencé à se rincer l'œil dernièrement. À quatre-vingt-deux ans, le vieux cochon ! C'est une pensionnaire de la résidence d'à côté qui me l'a dit.

— HEIN ? QU'EST-CE QUE T'AS DIT ?

Sam est foutu. Il aurait grandement intérêt à se trouver une nouvelle identité au cours des prochaines années.

« Ouin… j'aurais peut-être dû laisser le Roux jouer les espions, finalement. Si c'était lui que sa sœur avait pogné, j'imagine qu'Ariane lui aurait au moins laissé le temps de s'expliquer… »

Et Sam n'aurait pas à se taper ce très pénible tête-à-tête avec la Vipère !

Annabelle commence enfin à s'habituer au silence. À apprécier la solitude.

« J'ai pas d'amis ? Pas grave, j'ai ma planche. C'est tout ce dont j'ai besoin pour me sentir vivante ! »

Elle a même réussi à se convaincre que c'est mieux ainsi. Après tout, si sa vie sociale était plus palpitante, Annabelle n'aurait pas autant de temps à consacrer à son sport préféré.

Depuis qu'elle a mis les pieds à Rat-Dune, elle dédie chaque seconde de liberté au skatepark du quartier, à défaut de pouvoir pratiquer devant chez elle. En effet, ses nouveaux voisins sont plutôt froids à l'idée que leur chaussée soit « détériorée par les activités délinquantes de la petite démone d'à côté » (pour reprendre les mots exacts de leur plainte officielle à la police). Mais elle s'en fout ! Elle n'a jamais été aussi motivée, n'a jamais autant « planché » de toute sa vie. Après une dizaine de jours d'entraînement intensif, Annabelle parvient déjà à replaquer* avec assurance des figures qu'elle ne se serait jamais crue capable de réaliser, comme le *frontside 180°*

kickflip, le *pop shove-it** ou encore son tout récent *backside 50-50** sur la barre de fer. Elle n'arrive pas à croire qu'elle ait réussi à devenir une skateuse du tonnerre en si peu de temps.

D'ailleurs, ses souliers de skate DC Shoes commencent dangereusement à ressembler à deux marmottes éventrées, à force de se faire malmener. Même ses jambes sont dans un état lamentable. Avec toutes ces ecchymoses et ces égratignures sanguinolentes, elle trouve étonnant que ses voisins n'aient toujours pas dénoncé sa mère et son beau-père pour maltraitance envers les enfants. Mais encore une fois, elle s'en fout: l'adolescente exhibe fièrement ses blessures parce qu'elles lui rappellent la motivation dont elle a souvent dû faire preuve pour se relever malgré la douleur. Recommencer après chaque chute. Tomber et se relever à l'infini, pour finalement ressentir le sentiment du devoir accompli.

Annabelle a fait des progrès fulgurants. Elle sait parfaitement qu'elle n'aurait jamais atteint un tel niveau en allant flâner sur les Galets avec Léa ou en organisant des tournois de PlayStation avec Thomas et Zoé.

Elle retournerait à Pont-Rouge demain matin s'il le fallait. Mais elle doit tout de même se rendre à l'évidence que son existence à Rawdon est moins désastreuse que ce qu'elle imaginait. La température refroidit, le fond de l'air rafraîchit et, pendant ce temps, sa vie sociale s'engourdit... C'est vrai. À part sa meilleure amie Léa et Boots, son chat, elle n'a personne à qui se confier, mais... bof ! Qu'est-ce que ça peut bien faire ? Ici, Annabelle a un skatepark juste pour elle. Suffit d'y aller au bon moment ; entre 16 h et 19 h, quand c'est désert. En général, les autres skateurs viennent y faire un saut directement après l'école, ou bien plus tard en soirée. La Pont-Rougeoise, elle, a trouvé sa propre plage horaire. Tranquillité assurée.

Tandis qu'elle exécute son cinq cent soixante-douzième[15] *backside 50-50* de la journée, le roulement familier d'un skate sur l'asphalte attire son attention. Sa propre planche atterrit durement sur le sol, après avoir glissé le long de la barre de métal. Annabelle se retourne, à la fois satisfaite d'avoir réussi son *slide** et agacée de se faire déranger.

Elle aperçoit alors deux gars de son école — des grands de deuxième cycle —, le regard braqué sur elle. Le plus baraqué des deux, un rasé aux airs de dur à cuire, lui balance en entrant dans le parc :

— Ouin, sérieux, pas mal forte, la petite ! Je veux dire : pour une poulette à roulettes, là...

---

15 Nombre très approximatif basé sur la perception d'Annabelle, et non sur la réalité.

« Une poulette à roulettes ? Me semble que ça sonne pas mal moins sexiste sur le blogue des Skirtboarders[16]... ! »

Son ami reste en retrait derrière lui, à l'extérieur du parc. Annabelle jurerait qu'il est contrarié. Il tient sa planche d'une main et fouille dans ses poches de sa main libre, tout en sautillant.

Annabelle a l'impression de le reconnaître. Elle sait qu'elle a déjà vu ce beau visage mystérieux quelque part... Sûrement à l'école. Elle observe ses cheveux drus et ses petits yeux marron avec attention, avant d'être frappée d'une sorte d'illumination.

« On dirait l'ami de Sam ! L'espèce de ténébreux qui parle presque jamais. »

Pourtant, aux dernières nouvelles, il n'avait pas l'air aussi vieux ! Alors... à moins qu'il n'ait poussé de trente centimètres en une fin de semaine, il y a de fortes chances pour que le gars en question soit plutôt le grand frère de l'autre.

« C'est fou ! Ils sont identiques ! »

À la différence près que Loïc semble inoffensif, alors qu'en ce moment Ludovic ressemble

16 Un regroupement de skateuses originaires des quatre coins du Canada. Les Skirtboarders se réunissent chaque fois que possible pour skater, voyager, ou tout simplement pour le plaisir. Elles tiennent un blogue fascinant dans lequel elles exposent — en images et en mots — le feu roulant de leurs aventures sur roulettes !

à un pitbull hyperactif. Il grogne à l'intention de son ami :

— Hé, Landry ! Moi, ça va me prendre des clopes pis de la bière pour me dépomper. J'vais aller m'essayer au Couche-Tard. Tu m'attends-tu ici ?

— Yep !

Le sosie grand format du « beau p'tit skateur mystérieux » s'en va… et Annabelle se retrouve toute seule avec son ami, le costaud au crâne rasé.

Qui se rapproche.

Avant aujourd'hui, Sam n'avait jamais réalisé que le temps était une notion... élastique. Il n'aurait jamais cru qu'une heure pouvait s'étirer jusqu'à ressembler à une éternité.

À vrai dire, le temps que Sam sorte du local de retenue et rejoigne son père à la voiture, même ce dernier commençait à trouver le temps long... Durant les vingt minutes qui ont suivi son bref entretien avec Monique Richard, Robert a eu le loisir de se curer subtilement les dents avec le coin de son paquet de gommes, d'écouter un bulletin sportif à la radio et d'estimer le revenu annuel d'un prof en se basant sur la marque des voitures encore présentes dans le stationnement.

S'il est furieux d'avoir dû laisser son magasin de sport entre les mains d'un employé inexpérimenté, Robert est néanmoins soulagé par la tournure de sa discussion avec Mme Richard.

En moins de trois quarts d'heure, ils en sont venus au constat suivant: Samuel est un petit gars comme les autres. Il est juste un peu plus... tannant et curieux que la moyenne.

Bref, rien de très compromettant. Ni même de très révélateur. Robert est conscient que son fils a de la chance d'avoir une directrice aussi compréhensive. Rares sont celles qui laisseraient les fauteurs de troubles s'en sortir à si bon compte.

En effet, plutôt que de condamner son fils à une expulsion temporaire, la bonne Samaritaine a tout simplement fait promettre à M. Blondin d'avoir une petite conversation sur « l'éveil sexuel » avec Samuel.

Robert savait bien qu'il devrait aborder le sujet avec lui un jour ou l'autre, mais, ne sachant jamais par où commencer, il décidait toujours de remettre cette angoissante discussion au lendemain. Il se disait que l'occasion finirait bien par se présenter.

En se réveillant ce matin, il était loin de se douter que ce moment était déjà venu.

Robert voit son fils qui se dirige vers la voiture, avec sa fâcheuse habitude de traîner les pieds. Sam voit son père qui l'attend dans le véhicule, avec sa calvitie naissante et son faux regard sévère.

« Robert, Robert… Je viens de passer une heure avec la Vipère. Penses-tu vraiment me faire peur avec ton air bête ? »

S'il savait ce qui l'attend, Sam ne serait certainement pas si sûr de lui…

Il ouvre la portière côté passager et prend place dans l'automobile familiale.

— Salut, p'pa.

— Salut, mon gars.

Robert démarre le moteur et roule vers la sortie du stationnement de l'école.

— En tout cas, je vais te dire que j'ai de quoi être fier de toi ! Deux convocations chez la directrice, une retenue et un avertissement d'expulsion en… (il compte sur ses doigts) huit jours d'école. Bonne moyenne !

En matière de sarcasme, Sam a de qui tenir. « Tel père, tel fils », comme on dit.

— Ben là…

— Il n'y a pas de « ben là » ! J'ai raison ou pas ?

— Ouais. C'est une bonne moyenne. Je suis d'accord avec toi.

— Moi, ce que j'aimerais vraiment savoir, c'est la raison qui t'a poussé à aller te cacher dans une cabine des toilettes des filles avec une caméra. T'es-tu tombé sur la tête ?

— Je voulais… euh… faire une expérience.

— Une expérience ? C'est intéressant, comme réponse. Écoute, Samuel, j'avais pas prévu avoir cette conversation-là avec toi avant longtemps… Mais là, tu me laisses plus le choix. Mon gars, je pense qu'il serait temps qu'on parle de… de sexualité, toi pis moi.

— Hein ? Rapport ? Je veux pas parler de sexe avec toi ! On n'est plus dans les années soixante. Maintenant, il y a Internet pour ça…

— C'est justement ça, le problème. Je vais pas souvent sur Internet, mais juste assez pour savoir qu'il y a pas mal d'affaires pas trop nettes là-dessus, comme… des vidéos amateurs ou des sites pornographiques.

— OUACHE ! T'es pas en train de me dire que tu regardes des films pornos sur le Web ? Trop d'informations !

— Je sais que c'est gênant de parler de ces choses-là avec moi. Mais, t'sais, Samuel, moi aussi j'ai déjà été un ado. Il faut que tu saches que c'est normal à ton âge d'être… curieux. De vouloir… découvrir l'anatomie féminine.

— YARK ! Tu parles comme maman. C'est elle qui t'a demandé de me dire ça ?

— Non. En fait, c'est un conseil de Mme Richard. Ensemble, on a convenu que…

Sam en a assez entendu. Il prend sa télécommande imaginaire et enfonce le bouton « *mute* » pour faire taire son père.

La voiture continue à rouler dans les rues ennuyantes de la petite municipalité. Alors qu'il colle désespérément son visage contre la fenêtre du côté passager, Samuel a l'impression d'être victime d'une hallucination. Il délire, c'est clair !

Sinon comment expliquer la présence de Shakira junior et du Gros Landry dans son champ de vision ?

Il cligne des yeux, se pince un bras et… l'étrange duo est toujours là !

Qu'est-ce que la petite nouvelle et le gros colon à Landry font ensemble, au skatepark de Rawdon ?

Il voit la nouvelle taper dans la paume du Gros Landry avant de lui tendre une planche à roulettes.

Sam se frotte les yeux pour s'assurer qu'il a bien vu. C'est à croire que les lectures de BD déteignent sur lui. Le frisé a de plus en plus souvent tendance à se comporter en personnage de dessin animé…

Mais non, ses yeux ne l'ont pas trahi. Aussi fou que ça puisse paraître, il vient d'être témoin de l'alliance entre un ogre et une souris…

… de la rencontre de la Belle et la Brute.

En cet instant, si on lui demandait de prêter serment, Sam serait prêt à jurer qu'il n'avait jamais aperçu un duo si mal assorti de toute sa vie !

Mais n'allez surtout pas croire qu'il est jaloux…

Le « sosie format géant » n'est toujours pas de retour. Malheureusement. Ou heureusement ? Annabelle n'arrive pas à se décider parce qu'elle le trouve aussi attirant que terrifiant. En revanche, sa brute d'ami ne lui attire aucune sympathie.

Dans le skatepark, aucune forme de vie intelligente, à part elle et le Gros-Taré. Et encore... Annabelle s'appuie sur son skate en restant aux aguets, prête à fuir.

— Fa' que comme ça, la petite nouvelle se débrouille sur une planche ! C'est bon à savoir...

Le Gros-Taré-Rasé s'incline de façon à se placer vis-à-vis de la planche d'Annabelle.

— On dirait que ton *deck** pis tes *trucks** commencent à être maganés. Montre-moi donc ça.

— Non.

Annabelle recule d'un pas, intimidée par la proximité de « l'intrus ». Elle pense : « Me semble que j'étais bien avant qu'il arrive, lui ! »

— Hein ? Comment ça, non ? T'as pas l'air de savoir qui j'suis.

— Le pape ? Non, attends. Le dieu du skate, genre Rodney Mullen ?

— Non. Encore mieux que ça… Je suis ton nouveau meilleur ami.

— Euh ?

Le gros baraqué s'avance encore plus vers elle. Il est tellement près maintenant qu'Annabelle pourrait presque l'entendre crever sa bulle. SPLOUC !

Il tend la main vers sa planche, un sourire énigmatique aux lèvres.

— Donne. Je te prête mon skate en échange. Tu vas pouvoir l'essayer en attendant.

— En attendant quoi ?

— Que je *checke* ton board ! Je veux voir si je peux faire quelque chose avec ça.

Annabelle le dévisage. Elle essaie de deviner ses intentions… Outre lui conseiller de se rendre d'urgence au magasin de skate le plus près, elle ne voit vraiment pas ce qu'il pourrait faire. La seule façon d'en avoir le cœur net serait de lui faire confiance, ce qui ne l'enchante qu'à moitié. L'adolescente se résout finalement à donner son skate au rasé. Elle réprime un frisson. Elle a l'impression qu'un glaçon lui glisse le long de l'échine en s'amusant à faire des détours. De haut en bas, en passant par les omoplates. Brrr !

Le Gros-Rasé lui tend sa propre planche en échange, comme convenu. Annabelle observe un instant le dessin à l'arrière. Il est déjà passablement abîmé, mais on distingue toujours l'essentiel de l'œuvre : un squelette aux yeux exorbités en train de danser. « Original », se dit-elle.

Elle dépose la planche au sol, la stabilise avec son pied et commence à rouler pour tester le « nouveau produit ». La marchandise est bonne. En moins de deux, Annabelle réussit un *pop shove-it* bien serré, ce qui est un autre miracle en soi. Il est plutôt rare de réussir une figure du premier coup, à froid.

Elle revient en direction du Gros-Rasé, le visage fendu par un sourire digne d'une publicité de rince-bouche blanchissant aux effets révolutionnaires (c'est Alain qui serait fier). Annabelle veut simplement lui redonner sa planche, mais le gros macaque insiste pour qu'ils se tapent dans les mains. Il tend la paume de sa grosse main velue vers elle en beuglant : « *Give me five !* »

— T'es encore plus forte que je pensais ! Il y a peut-être quelque chose à faire avec toi, finalement…

Annabelle n'est pas certaine de saisir la remarque, mais l'instant d'après, le Gros Landry poursuit son inspection minutieuse de sa planche, alors elle hésite à le déranger. Il est tellement concentré qu'on dirait un chirurgien occupé à examiner un patient vraiment mal en point.

— Par contre, avec ton board, il y a rien à faire. C'est ce que je pensais. Il est bon pour la poubelle… Sauf que ça tombe bien, j'en aurais un presque neuf pour toi. Tout ce que t'aurais à faire, c'est d'aller le récupérer à Saint-Côme, dans l'Autoroute.

— Hein ? Où ça ? Sur l'autoroute de Saint-Côme ? Laisse faire !

— Ha ! Ha ! Non, sur la piste… L'Autoroute !

— Ah…

Annabelle fait comme si elle savait de quoi il parle, alors qu'il est évident qu'elle n'en a absolument aucune idée.

— Ouin… ça se voit que t'es pas du coin, toi.

— OK, mais… c'est quoi ? T'es comme un *sponsor undercover* ? Je comprends pas pourquoi tu me donnerais un nouveau skate…

— Parce que je t'aime ben, t'as l'air sympathique. C'est rare, dans le coin, les filles qui savent flipper leur planche comme toi. Ça fait que… on va dire que le skate gratuit, c'est comme un cadeau de bienvenue pour te dire que tu peux faire partie de notre *crew* n'importe quand. Mon *bro*, celui-ci qui était là tantôt, il organise des événements pis il va bientôt être commandité…

— Ah ouin ? fait Annabelle, sceptique.

— Yep ! Je me disais que ça t'intéresserait peut-être de le savoir. Surtout qu'on dirait que c'est pas tout le monde qui t'accueille comme tu devrais…

— Tu parles de Chanel ?

— Non. Chanel, c'est une petite conne. Elle est comme ça avec tout le monde, faut pas t'en faire. Non, non. Je voulais parler de la gang de skateurs de secondaire deux. Loïc, le frère à Ludo, pis ses petits « namis ». T'as pas remarqué qu'ils te fuient comme un gros feu sauvage ?

— Ben… c'est vrai qu'ils répondent pas quand je leur parle, mais de là à dire qu'ils se sauvent de moi, c'est un peu fort, je trouve ! Je sais même pas s'ils ont remarqué que j'existe…

— Moi, je peux te garantir que oui. J'en ai même la preuve. Tu veux voir ?

Le Gros-Rasé-Pas-Si-Taré extirpe un téléphone cellulaire de la poche de son bermuda tout effiloché. Il pitonne quelques instants tandis qu'Annabelle patiente, interdite. Voir ses doigts boudinés s'activer sur le minuscule écran tactile a quelque chose de cocasse. Annabelle éclate d'un petit rire nerveux alors que le colosse lui confie son appareil.

Sur l'écran, une courte vidéo défile. Annabelle y distingue les cinq gars, affalés sur un gros divan dans un sous-sol obscur. Une énorme rampe en demi-lune attire son attention vers l'arrière-plan. Mais la conversation qui bat son plein entre les cinq garçons la ramène rapidement au centre de l'action.

Elle rapproche son oreille de l'appareil de façon à entendre ce qu'ils se disent entre eux.

Elle n'en croit pas ses oreilles !

Annabelle croise instinctivement les bras devant sa poitrine. Ses yeux sont exorbités.

Il ne manquerait plus qu'elle se mette à giguer pour ressembler au squelette dessiné sur la planche du Gros-Rasé-Pas-Si-Taré.

Mais, curieusement, Annabelle n'a pas du tout envie de danser…

Vendredi après-midi.

La semaine est presque terminée ; la fin de semaine, presque commencée.

Quelques heures à peine avant le long week-end de l'Action de grâce.

Annabelle n'a aucune idée de ce que signifie l'Action de grâce, à part manger de la dinde, mais elle sait ce que signifient TROIS JOURS DE LIBERTÉ. D'ici la fin de la journée, un arc-en-ciel va apparaître dans sa vie comme par magie. Un mirage de fin d'après-midi.

Léa. À Rat-Dune.

Presque trop beau pour être vrai.

Aux alentours de dix-huit heures, sa meilleure amie va descendre de la Volkswagen de sa mère avec sa mini-valise zébrée pleine de CD et de revues, ses cheveux trop courts, ses vêtements multicolores et son rire contagieux, du genre à déclencher des épidémies.

Oui, c'est trop beau pour être vrai. Une fin de semaine complète avec Léa, à rire, à déconner et à partager ce qu'elles meurent d'envie de se raconter. Chaque petit détail de toutes les minutes qui se sont écoulées depuis la dernière fois qu'elles se sont vues... Elles se sont fait leurs adieux à la petite fête organisée par Léa, la veille du départ d'Annabelle vers sa nouvelle ville/vie. C'était il y a moins de deux mois, mais la nouvelle Rawdonnoise a l'impression que c'était il y a une éternité...

Il faut dire que les appels de sa meilleure amie se font de plus en plus rares en raison de l'horaire très chargé de Léa et des restrictions de leurs parents respectifs concernant les frais interurbains. Bref, elles ont beaucoup de rattrapage à faire côté bavardage et le programme des prochaines journées s'annonce donc plus que chargé.

Annabelle n'est toujours pas allée chercher la planche gracieusement offerte par son « nouvel ami », le Gros Landry. Il lui a conseillé d'attendre l'ouverture de la montagne pour s'y rendre, histoire de ne pas courir après les ennuis. Elle l'a écouté, parce qu'enfin... disons simplement qu'elle trouvait qu'il avait la tête d'un gars qui s'y connaît, au rayon des ennuis. Landry s'est chargé de lui expliquer que la station touristique organisait chaque automne un Festival des couleurs : trois fins de semaine consécutives durant lesquelles les gens peuvent circuler sur la montagne librement.

Puisque la visite de Léa coïncidait avec la dernière fin de semaine du festival (et supposément la plus importante), Annabelle a décidé de l'attendre pour aller flâner à Val Saint-Côme, « en toute légalité ». L'occasion parfaite, puisqu'elle est nouvelle dans la région, alors autant éviter d'attirer l'attention pour de mauvaises raisons...

Sauf qu'il suffit qu'elles soient toutes les deux réunies pour faire plus de flammèches qu'une tonne de pétards à mèche... Annabelle le sait. Difficile de passer inaperçue en compagnie de Léa. Sa meilleure amie est une explosion de saveurs, de couleurs, d'éclats de rire et de... méga-délires. Oui. Disons qu'elle en impose !

« Début de la rumba ! On ramasse le "cadeau de bienvenue" du Gros Landry, pis après on fout le bordel à Saint-Côme. Les gens croiront même pas ça, comment deux filles comme nous vont rocker la place ! »

Histoire de changer de couleur afin d'être au diapason avec l'ambiance du festival, Annabelle a eu la brillante idée d'offrir une deuxième vie au shampoing colorant rouge utilisé pour son costume de Fifi Brindacier, à l'Halloween l'an passé. Objectif officiel : impressionner Léa en l'accueillant avec un look d'enfer. Objectif confidentiel : brouiller les pistes quant à son identité et entamer son opération métamorphose en prévision de son coup d'éclat de fin d'après-midi. Aujourd'hui est une date importante, puisque c'est aujourd'hui que la poulette à roulettes a choisi de contre-attaquer. Pourquoi ce jour en particulier ? Pour la simple et bonne raison qu'elle termine en éducation physique, ce qui lui permettra d'avoir accès aux vestiaires pour se changer.

La tête à moitié enfoncée dans sa case, Annabelle tâtonne un sac de plastique afin de s'assurer qu'elle y a rassemblé tous les éléments essentiels à son savant déguisement : un chandail à capuche beaucoup trop grand, des pantalons bouffants, une tuque à large rebord, et quelques autres accessoires pour peaufiner l'ensemble de son habillement. Elle se réjouit de ne pas devoir partager son casier, ce qui rendrait ses préparatifs bien plus ardus... À l'école des Cascades, on considère que les élèves du programme sport-études méritent une case individuelle pour y ranger l'équipement nécessaire aux entraînements. C'est tout à son honneur !

Annabelle étudie brièvement son reflet dans le minuscule miroir adhésif qu'elle a collé en début d'année — parmi un montage de photos de ses magazines de skate et de snowboard préférés — dans l'espoir de camoufler l'horrible porte de métal grisâtre.

L'ex-blondinette semble satisfaite du résultat de sa petite « métamorphose maison ». Le rouge n'est peut-être pas aussi vif qu'elle l'aurait espéré, mais l'effet est tout de même saisissant.

Annabelle pige un short, un t-shirt ample et des espadrilles parmi le fouillis de sa case. Elle s'apprête à la refermer et à se diriger vers le gymnase pour son dernier cours de la journée, sereine, le pas léger, quand elle surprend la conversation de Chanel et d'une autre fille de leur classe, dont elle a oublié le nom :

— J'ai tellement hâte que tout le monde voit mon nouveau maillot de bain ! Il commençait à être temps qu'on aille à la piscine, non ?

La Siamoise satanique et sa nouvelle disciple (ou bouche-trou ?) repartent vers l'autre extrémité du couloir en gloussant comme des poules sans tête.

Annabelle a remarqué la moue de truite qu'a faite Chanel avant de s'éloigner. En d'autres circonstances, elle serait pliée en deux dans son casier. Mais, en ce moment, elle n'a pas du tout le cœur à rire.

La seule chose à laquelle elle pense, c'est : « Est-ce que j'ai bien entendu le mot PISCINE ? »

Si le prof d'éducation physique avait mentionné une période de natation durant le dernier cours, Annabelle s'en souviendrait !

Elle a horreur des costumes de bain. En général, elle préfère éviter d'avoir à se balader à moitié nue devant des (semi) inconnus. Ces machins-là dissimulent à peine ce qu'ils devraient cacher. Pire, ils attirent l'attention EXACTEMENT là où il ne faut pas.

« Je me demande comment les gens font pour avoir le goût de porter ces trucs-là… Bande d'exhibitionnistes ! » se dit Annabelle en se dirigeant à contrecœur vers le pavillon de l'école, là où se trouve la piscine intérieure.

Arrivée aux vestiaires, elle s'enferme dans une cabine et enfile son vêtement de torture. Elle en ressort, presque de reculons, après quelques minutes d'hésitation.

Annabelle a eu beau choisir le maillot de bain une pièce le moins sexy de la terre, n'empêche qu'enveloppés dans ce tissu trop moulant, ses seins ont l'air de deux énormes globes terrestres. Et dire que Sam et Xavier sont dans sa classe… Si elle voulait leur faire oublier sa féminité, c'est raté !

Il lui suffit de jeter un œil dans le vestiaire autour d'elle pour remarquer que les seins des autres filles ont l'air de piqûres de maringouins comparativement aux siens. Sauf ceux de Chanel, qui ont plutôt l'air de… morsures de mouches noires, disons. Cocotte Beauregard se pavane dans un maillot qu'on croirait emprunté à une enfant de cinq ans, tellement il est petit.

— Quand le beau prof d'éduc a dit qu'on avait piscine aujourd'hui, j'étais tellement excitée que j'ai dû l'essayer, genre... euh... mille fois devant mon miroir pour voir de quoi j'avais l'air.

— Pis ?

— Ben, j'ai l'air d'une star ! HELLLLOOOO !

Chanel hausse un sourcil et prend une pose, sûrement copiée dans un clip de Rihanna ou de Beyonce. Pathétique.

— J'ai tellement hâte de voir la face des gars quand je vais sortir du vestiaire avec ça.

L'autre fille se force à rire.

— Attention ! Sam ou Xavier pourraient ressortir leur caméra !

« Tiens, tiens, parlant du loup... et du roux ! » pense Annabelle. Chanel, quant à elle, se contente de répliquer, bonne joueuse :

— Ça peut ben se retrouver sur YouTube, je m'en fous ! Je suis belle ! Je vois pas pourquoi je devrais être gênée de montrer mon corps.

Finalement, avoir une exhibitionniste dans sa classe peut comporter certains avantages. Avec Chanel dans les parages, les deux gigantesques flotteurs d'Annabelle ne risquent pas trop d'attirer l'attention des gars de la classe.

« Sinon, reste à espérer que ma nouvelle teinture rouge pompier va faire diversion ! »

Elle ne croyait pas si bien dire…

Annabelle se réfugie dans le vestiaire, le visage baigné de larmes. De grosses gouttes d'eau rouge fade dégoulinent le long de son dos et de ses épaules.

« J'haïs les piscines. J'haïs les cours d'éduc. J'haïs les profs d'éduc. J'haïs les gars. J'haïs ma vie ! AAHHHHHHHHHHHH ! Je m'haïs ! »

Elle s'enferme dans une cabine, les bras encombrés de son sac de plastique ramassé au passage. Annabelle voudrait se débarrasser de son costume de bain, mais ses mains tremblent tellement que le maillot mouillé s'entortille sur elle et lui colle à la peau comme une sangsue. Elle pousse un cri de rage en se recroquevillant dans un coin de la cabine.

Annabelle ressemble à un animal blessé. Normal, elle est blessée. Humiliée. Elle voudrait ne plus jamais avoir à sortir de cette cabine. Ne plus avoir à croiser le regard des élèves de sa classe. En fait, elle n'est même plus certaine de vouloir mettre son précieux plan à exécution…

Elle se sent tellement stupide. Stupide de n'avoir pas prévu que sa coloration se dissoudrait au contact de l'eau chlorée. Sa teinture rouge était vraiment trop fraîche. Il fallait s'y attendre, casque de bain ou pas.

Elle revoit encore l'expression cruelle de Cocotte Chanel quand elle l'a pointée du doigt en criant :

— Ouache ! Annalaide Poitrine est menstruée dans la piscine !

Une fraction de seconde plus tard, tout le monde sortait de l'eau en la dévisageant d'un air scandalisé. Xavier regardait la mare rouge comme si c'était la chose la plus dégoûtante sur terre. Sam la regardait, elle, comme s'il venait d'apercevoir le monstre du Loch Ness. Annabelle se souvient avoir pensé : « Franchement. T'es bien placé pour me juger, monsieur Je-m'enferme-dans-les-toilettes-pour-regarder-les-filles-pisser ! »

Chanel l'a fait exprès, Annabelle le sait. La Barbie-Brune est peut-être idiote, mais pas assez pour croire que les règles se manifestent par des saignements de tête ! Elle n'aurait pas pu fermer sa grande trappe (barbouillée de gloss), pour une fois dans sa vie ?

Le prof d'éducation physique a bien tenté de prendre la situation en main, de convaincre ses élèves de retourner dans l'eau en leur expliquant que ce n'était que de la teinture et non du sang, mais il était trop tard : Chanel avait déjà réussi à marquer Annabelle au fer (rouge).

Sur le coup, la petite nouvelle n'a pas trouvé de meilleure solution que de courir se réfugier dans les vestiaires, là où personne ne viendrait l'embêter. Ou presque…

— Annabelle ? T'es là, ma grande ?

— …

— Ils se sont calmés, tu peux revenir à la piscine. Ou…

Maxime, le jeune prof d'éducation physique, se contente de rester dans l'embrasure de la porte du vestiaire. Il est mal à l'aise, ne sachant trop si le règlement lui permet d'entrer, malgré la situation. Annabelle ne lui répond pas, mais il devine sa présence par les sanglots étouffés qui s'échappent d'une cabine en retrait.

— Il reste juste dix minutes au cours. Si tu préfères, tu peux te changer et rentrer chez toi… Je dirai rien, pour cette fois.

— Merci.

La réponse est presque inaudible, mais elle parvient tout de même aux oreilles de l'enseignant qui l'interprète comme un prétexte suffisant pour retourner surveiller ses élèves, avant que l'un d'eux se noie dans une flaque de colorant rouge sang. Plutôt difficile à justifier auprès des parents…

Annabelle se concentre sur les bruits de pas qui s'éloignent. Une image mentale s'immisce dans ses pensées sans même y avoir été invitée. La mine horrifiée de Sam et de Xavier y ressurgit de façon exagérée, tel un leitmotiv pour la forcer à terminer ce qu'elle avait commencé. Sa perception des choses est peut-être déformée par ce qui vient tout juste de lui arriver, mais elle sait qu'elle doit à tout prix leur prouver ce qu'elle vaut !

Elle décide donc de ravaler ses larmes et d'enfiler en vitesse ses nombreuses « pelures », en prenant bien soin de comprimer sa poitrine sous les trois camisoles pigées dans son carton « linge trop petit ou trop laid ». Une fois vêtue de la tête aux pieds, elle s'empresse de sortir de la cabine pour admirer le résultat.

« Wow ! C'est… parfait. »

En fait, c'est à peine si elle se reconnaît, tellement le travestissement est stupéfiant. Ses mini-dreadlocks retenus en chignon disparaissent entièrement sous sa tuque. Elle se trouve même… plutôt beau garçon. Or, ce n'est pas le temps de s'admirer ! Annabelle doit décamper d'ici au plus vite, si elle ne veut pas tomber nez à nez avec les autres filles du groupe. Après tout, elles seraient toutes assez stupides pour « le » dénoncer d'avoir pénétré dans le vestiaire des filles !

Elle récupère le restant de ses effets personnels dans la case du vestiaire avant de reprendre son cadenas et de filer, illico presto. Dans le couloir, elle entend les voix de ses camarades de classe qui se rapprochent. Le cours est terminé. Elle accélère le pas.

Pour emprunter le passage souterrain menant à la bâtisse principale de l'école, il lui faudrait rebrousser chemin et repasser devant le petit groupe. Option non envisageable. Elle ne veut pas être repérée, du moins, pas tout de suite. C'est pourquoi elle rabat le capuchon de son coton ouaté sur son front, par simple précaution.

La cloche sonne. Annabelle doit faire vite. Elle sait qu'il pleut, mais elle s'en fout puisque ses cheveux sont déjà mouillés, et sa teinture, toute délavée, alors...

De toute façon, elle avait déjà prévu le coup : en cas d'averse, son plan se déroulerait sous le patio, à l'abri des gouttes d'eau. (Sa planche se trouvant déjà dans un piteux état, elle préférerait éviter que la rouille s'ajoute à l'usure.) Elle y sera certes plus à l'étroit que dans la cour d'école, mais elle jouira néanmoins d'un emplacement de choix. Bien à la vue de tous.

Revigorée par cette pensée, elle pousse vigoureusement la lourde porte de métal qui mène vers l'extérieur du pavillon.

SPOINK ! « Oh noooon ! Pas encore ! »

Annabelle commence à croire qu'elle a un sérieux problème avec les portes. Sinon comment expliquer qu'elle ait trouvé le moyen d'assommer deux personnes différentes en deux mois à peine ? À moins, bien sûr, qu'il ne s'agisse encore une fois de Chanel... ce qui serait surprenant puisque son rire de flétan résonne encore dans le couloir, à quelques mètres derrière elle.

Alors que l'adolescente sort constater les dégâts, une question absurde lui vient en tête : « Je suis censée consulter qui pour ce genre de problème ? Un optométriste ? Un serrurier ? Un voyant ? »

À l'extérieur, Annabelle voit une fille qui se relève, passablement sonnée. Tout porte à croire qu'elle était assise sous le porche de l'école. Toute seule. Sous la pluie.

L'adolescente doit avoir à peu près le même âge qu'elle, mais elle la dépasse d'une demi-tête. Annabelle se sent aussitôt hypnotisée par les grands yeux rêveurs de celle qu'elle vient tout juste de bousculer.

— Woh ! Je suis tellement désolée ! Est-ce que je t'ai fait mal ?

— Non, non. C'est correct... C'est un peu ma faute aussi. C'était pas brillant de m'asseoir là. Sauf qu'habituellement, il y a personne qui passe par ici... surtout pas quand il pleut.

— Justement, qu'est-ce que tu fais là ? Tu prends ta douche ?

— Non, non. J'ai une douche à la maison, comme tout le monde !

La fille se racle la gorge avant d'ajouter, gênée :

— Je regardais les nuages… Est-ce que t'as déjà remarqué qu'ils sont encore plus beaux quand il pleut ?

— Euh…

— Ils sont comme… plus intenses. Regarde comme ils se déplacent vite ! C'est impressionnant, non ?

— OK, ouin ! C'est vendredi, la journée est finie, pis, toi, tu restes à l'école pour regarder les nuages bouger ? T'es encore plus bizarre que moi, on dirait…

— J'avais pas l'intention de rester ici toute la soirée, non plus ! se défend l'inconnue. C'était juste en attendant que votre cours finisse… Il faut que je parle au prof d'éduc.

— Le cours est fini, tu peux y aller.

— Je sais… mais j'aime mieux attendre que les autres soient partis.

— Ouais, je te comprends. En passant, moi, c'est Annabelle.

— Je sais. Au début, je t'avais pas reconnue à cause de ton habillement, mais j'ai fait le lien en voyant ton bracelet en forme de fourchette.

La brunette pointe son index vers l'objet incriminant, qui dépasse de la manche du coton ouaté d'Annabelle. Cette dernière retire aussitôt le bracelet de son poignet avant de l'enfoncer dans la poche de son jeans, située à mi-cuisse tellement la fourche de son pantalon est basse.

L'inconnue poursuit sans se soucier de l'agacement d'Annabelle a l'égard de sa petite négligence :

— Tout le monde le sait que tu t'appelles Annabelle, mais c'est pas tout le monde qui t'appelle comme ça... (Elle s'interrompt et change brusquement d'approche.) T'es la fille de Québec... Celle qui a pas la langue dans sa poche pis qui porte de drôles de bijoux !

— Ha ! ha ! C'est ça que les gens disent de moi ?

— Ouais.

— Franchement ! J'espère, que j'ai pas la langue dans ma poche ! Ce serait pas super-pratique. En tout cas, moins que dans ma bouche, j'imagine !

— T'as raison, c'est stupide comme expression.

— Pas mal, ouais ! Hé, mais t'as l'air de connaître pas mal de choses à mon sujet, pis moi, je connais même pas ton nom... Tu m'as toujours pas dit comment tu t'appelles !

— Ophélie.

— Ophélie ? C'est cool, comme nom. Mieux qu'Annalaide, en tout cas ! dit-elle en gratifiant l'ex-inconnue d'un clin d'œil complice pour lui faire comprendre qu'elle est consciente du surnom que les autres élèves emploient pour la désigner. Bon ! Moi, faut que je file. Passe une bonne fin de semaine, Ophélie ! Encore désolée pour la porte...

— Pas grave ! Désolée pour tes cheveux...

Annabelle avait déjà commencé à marcher en direction du pavillon principal de l'école des Cascades. Mais, en entendant ces mots, elle s'immobilise net.

— Qu'est-ce que tu veux dire par là ?

— Je suis entrée dans le pavillon il y a peut-être trois ou quatre minutes... Le prof était en train d'engueuler Chanouille à cause de ce qu'elle t'a dit.

Ophélie vient-elle vraiment de surnommer Miss Populaire « Chanouille » ? Annabelle l'observe, amusée, avant de faire remarquer :

— Bah... c'est tout ce qu'elle mérite, de toute façon.

— Je suis d'accord avec toi !

Le visage songeur et sérieux d'Ophélie s'éclaire d'un sourire vraiment mignon, à la fois espiègle et enfantin. Annabelle se dit : « Je la connais à peine, mais elle me plaît déjà, celle-là. Elle a l'air cool, la fille, relax... » et, surtout, un peu déconnectée de la réalité ! Ophélie tripe peut-être sur les nuages, mais elle semble détester Chanel, ce qui ferait d'elle une excellente candidate à l'amitié, selon Annabelle.

Sauf qu'elle a déjà une meilleure amie, et qu'elle risque de rater les préparatifs de son arrivée si elle ne se dépêche pas de rentrer à la maison… Mais d'abord, elle a cinq autres « candidats » à épater, c'est pourquoi elle aurait grandement intérêt à se dépêcher de mettre son plan à exécution.

Annabelle repart d'un pas rapide en saluant Ophélie de la main.

— Bonne fin de semaine !

— Salut. À toi aussi !

En marchant, Annabelle extirpe son téléphone cellulaire de la poche de son jeans pour s'assurer qu'elle n'est pas trop en retard sur son horaire. En dépliant le rabat de l'écran, elle constate que non seulement elle est en avance, mais qu'en plus elle a un appel manqué deLéa.

Son amie lui a aussi envoyé un texto. « Peut-être qu'elle est déjà arrivée ? » Annabelle l'ouvre, fébrile, et lit : « Pépin en vue. C'est foutu pour la fds. Je t'appelle + tard. L. xxx. »

Annabelle doit s'y reprendre à trois fois pour saisir le message. « Quoi ? C'est une blague ? Elle ne viendra pas… Sérieux ? »

Super ! Après sa coloration rouge, c'est maintenant au tour de ses beaux projets de tomber à l'eau…

À moins que…

Annabelle fait volte-face pour rebrousser chemin. Elle interpelle l'adolescente lunatique qui continue d'observer les cumulonimbus, non loin :

— Ophélie ? Qu'est-ce que tu fais en fin de semaine ?

31

Le déluge se poursuit. Le ciel continue de se déverser à grands flots sur l'école des Cascades, qui n'en paraît que plus maussade. Brrr ! Vraiment déprimant pour un vendredi après-midi, se dit Sam (qui est pourtant un fanatique endurci des vendredis après-midi). Il traverse la cour d'école sans prendre la peine d'éviter les flaques d'eau, sans se soucier d'éclabousser ses amis qui le talonnent. C'est à peine s'il frissonne au contact des gouttelettes glaciales qui s'écrasent sur son visage, tellement son esprit est occupé à vagabonder.

Sa bouche n'en demeure pas moins active. Le petit frisé est toujours ébranlé par le spectacle macabre auquel il a assisté durant la période de natation. Et quand quelque chose le tracasse, il bavasse. Sans arrêt. Depuis que les cinq garçons se sont retrouvés à la case de Fabrice, Sam monopolise la conversation.

— Je vous jure : quand Shakira est entrée dans la piscine, l'eau a changé de couleur ! Comme l'espèce de vieille démone maléfique dans la bande dessinée que tu m'as prêtée, BD !

— *Bain de sang au lac Hémoglobine?* Je pensais pas que tu l'avais lue…

— Je l'ai pas lue, non plus! Mais j'ai regardé les dessins, par contre, pis je peux te dire que c'était de la petite bière *flat* à côté du cours d'éduc! T'aurais dû voir la face du Roux. Ça valait mille piasses. Minimum.

— Tu peux ben parler, toi!

Xavier avance d'un pas nerveux aux côtés de ses amis. Il tient son coupe-vent au-dessus de sa tête afin de protéger ses cheveux de la pluie, comme s'il craignait que ses pigments roux ne finissent dans les égouts. Désormais, il doit s'attendre à TOUT. Oui, l'épisode de la piscine a manifestement laissé des séquelles chez lui, tout comme chez Sam, qui poursuit:

— En tout cas, je verrai plus jamais une piscine de la même façon…

— Ben, là. Est-elle correcte, au moins? s'enquiert Mathis.

— La piscine? Ouais, j'imagine que les filtreurs vont faire la job…, répond Sam.

— Non, elle! La nouvelle.

— Ah… j'sais pas. Elle s'est sauvée en courant.

— Bizarre…

— Ouais, c'est biz en sale! J'en ai la chair de poule, pour vrai!

Dans la tête rousse de Xavier, les éléments du casse-tête commencent à s'imbriquer. Il se représente la petite nouvelle avec ses bijoux extravagants qui ne la quittent jamais, telles des amulettes porte-bonheur ou des talismans. Étrange. Il repense à la fois où elle les a abordés avec une phrase sans queue ni tête… « Bras cou pour le veau de la morve. » Étrange, puissance mille ! Il s'agissait peut-être d'une formule magique pour leur jeter un mauvais sort ?

« OH MON DIEU ! Tout s'éclaire », pense Xavier. Il doit à tout prix partager sa nouvelle théorie avec ses amis :

— Hé, les gars… c'est peut-être une sorcière, dans le fond ! Bon, elle vient de Québec, ça tout le monde le sait. Mais ce qu'on sait pas, par contre, c'est POURQUOI elle a dû changer de ville… Peut-être qu'elle a été obligée de s'enfuir parce que les gens commençaient à soupçonner quelque chose de louche à son sujet ? Non, mais c'est vrai ! Tout ce qu'on sait, c'est qu'elle est vraiment bizarre pis qu'il se passe de drôles de réactions quand sa peau entre en contact avec l'eau. Ou avec le chlore. En tout cas, ce qui s'est passé aujourd'hui, c'était juste pas normal. Même ses cheveux changeaient de couleur !

Pour le narguer, Fabrice tire brusquement le coupe-vent-parapluie-improvisé de Xavier, de façon à ce qu'il se fasse mouiller. Surpris, le rouquin émet un cri légèrement trop aigu qui lui attire aussitôt les railleries de Sam et compagnie.

— Contrairement à notre ami le froussard, moi, j'ai beaucoup trop de respect envers la Science pour croire à ces stupides histoires de vieilles bonnes femmes à balai. Croyez-moi, si Shakira junior venait à l'école sur un balai, ça se saurait. N'empêche que le Roux a raison : on doit se méfier d'elle encore plus que de toutes les autres-eu. Mon pif me dit que cette nana n'est pas réglo.

Il semblerait que le Français ait retrouvé sa verve d'antan. Joie ! Chassez le naturel et il reviendra au galop, sur une monture digne du grand Lancelot. Parlant de monture, il serait grand temps pour nos cinq chevaliers des temps modernes de se séparer afin de regagner leurs autobus respectifs.

Les gars se saluent brièvement, sans rituel ni cérémonie. L'heure est grave. Ils ont tous l'horrible sensation qu'une menace plane au-dessus de leur tête, et les nuages sombres qui obscurcissent le ciel ne sont rien pour aider. Tandis que Mathis et Fabrice font la course jusqu'à leur autobus, Xavier repart seul de son côté, l'esprit tourmenté. Mouillé de la tête aux pieds.

Sam et Loïc grimpent dans le bus desservant le village de Saint-Alphonse-Rodriguez. Ils vont se caler dans l'une des rares banquettes encore disponibles. Sam secoue sa tignasse humide en s'ébrouant comme un chien sortant de l'eau. Une fille de quatrième secondaire assise de l'autre côté de l'allée lui témoigne son mécontentement en râlant.

— C'est qui, lui ? demande BD, le regard braqué en direction de l'affreux patio qui défigure la façade de l'établissement.

— Qui ça ?

— Lui, là !

D'un geste du menton, Loïc désigne un jeune skateur, le visage dissimulé sous un capuchon, occupé à enchaîner des cabrioles sous le préau. Sam se penche vers la fenêtre en accrochant volontairement BD au passage. Sam aperçoit un adolescent chétif qui flotte littéralement dans ses vêtements trop grands, ce qui le fait paraître plus jeune qu'eux. Il ne lui donnerait pas plus de onze ou douze ans, mais le jeune s'active sur sa planche avec agilité. Bien que fluides et assurés, ses mouvements semblent calculés. Il maîtrise une technique à tout casser.

— Je l'ai jamais vu à l'école, lui. Il vient pas du coin, sinon on le connaîtrait.

— Ouin, pis ? Qu'est-ce que ça fait ?

— Ben, j'sais pas ! Ça te dérange pas de savoir qu'il y a un *dude* que tu connais pas, mais qui se débrouille mieux sur un skate que toi ?

— Qu'est-ce que tu veux dire ?

— Regarde !

Le skateur anonyme replaque un triple *kickflip* au même moment.

— Bof! Il y a rien là! bredouille Sam, comme pour se convaincre lui-même.

La vérité, c'est qu'il est carrément impressionné. Tellement impressionné qu'il est à un cheveu de se consumer de jalousie. « Un triple *kickflip*, comme ça, à froid. C'est une machine, le gars! » Sauf que Sam a bien trop d'orgueil pour l'avouer, même à son meilleur ami.

Il en a assez vu! Il détourne les yeux vers l'allée, tandis que ses pieds et ses fesses se mettent à vibrer. Sam est soulagé de constater que leur chauffeur s'est enfin décidé à démarrer son moteur. L'imposteur sera bientôt loin derrière eux.

— Oh, oh. Il va y avoir de l'action! annonce Loïc, dissimulant mal son excitation.

Sam se laisse gagner par la curiosité. Il se penche à nouveau au-dessus de BD pour regarder par la fenêtre. Il aperçoit alors la Vipère, bouillonnante de rage sous le préau, qui se dirige vers le « vandale » à la vitesse de l'éclair. Lorsqu'elle apostrophe l'intrus venu se donner en spectacle sur le territoire de l'établissement, Sam ne peut que se réjouir de la tournure des événements. L'inconnu tente d'argumenter, mais l'insensible femme reste imperméable à ses supplications. Tandis que la professeure Terreur entraîne brusquement le fautif vers l'entrée principale de l'école, le capuchon de ce dernier retombe sur son dos, dévoilant ainsi un visage que le petit frisé peine à distinguer. En revanche, un minirasta s'échappe de la tuque de l'individu, ce qui lui met la puce à l'oreille.

Une fraction de seconde avant que la porte de l'école ne se referme sur lui, l'inconnu se déprend brusquement de l'emprise de la Vipère pour se retourner face à la rue et scruter la ligne d'autobus d'un air de défi. Sam reconnaît enfin la frimousse espiègle qui est braquée sur lui. Il n'y a plus aucun doute possible.

C'est elle. Annabelle. La petite nouvelle.

Qu'elle soit une sorcière, Sam n'avait pas trop de mal à le croire. Mais que la petite nouvelle soit une planchiste d'enfer, il trouve ça plutôt dur à avaler…

Et si les filles n'étaient pas toutes aussi incompétentes et fatigantes qu'il pensait ? Sam et ses amis l'auraient-ils sous-estimée ?

« Bof ! Elle doit être l'exception qui confirme la règle, c'est tout…

Selon la « carte au trésor » grossièrement dessinée par le Gros Landry, le butin ne devrait plus être très loin.

Annabelle relève son nez de la carte pour observer un point devant elle, au milieu d'un minuscule regroupement d'arbres. Ils sont vraiment jolis avec leur feuillage d'automne. L'ex-blondinette-devenue-rouquine-et-redevenue-blonde avouerait même être plutôt jalouse de leurs coiffures exubérantes qui oscillent entre l'orangé, le jaune et le rouge.

Annabelle prend une grande bouffée d'air pur et frais. Ce geste tout simple lui procure une incroyable sensation de bien-être.

La montagne a manifestement revêtu ses habits de festival. Le paysage est à couper le souffle. Annabelle comprend maintenant pourquoi les gens du coin ne jurent que par Val Saint-Côme. L'endroit vaut assurément le déplacement… Elle devrait d'ailleurs y passer le plus clair de son hiver, alors aussi bien commencer à se familiariser avec les lieux dès maintenant.

— Je pense que c'est là-bas !

Annabelle pointe le doigt en direction de la petite poignée d'arbres joliment coiffés qui s'érige en bordure de piste. Elle regarde Ophélie qui regarde… le ciel.

— Ophélie ! Viens.

Landry a clairement précisé à Annabelle qu'elle devrait être accompagnée pour aller chercher la planche. « Tu vas avoir besoin de quelqu'un pour te faire la courte échelle, la petite. » Léa n'est pas là ? Pas grave. Ophélie fera très bien l'affaire… Si elle peut lâcher ses nuages une bonne fois pour toutes.

Annabelle est tellement excitée par cette petite chasse au trésor improvisée qu'elle enjambe les roches et les branches d'arbres avec l'assurance et la rapidité d'Indiana Jones. Elle scrute les arbres du bosquet en se concentrant sur la cime, en hauteur. Perspicace, la petite.

— Je l'ai trouvée. OPHÉLIE, VIENS !

À environ deux mètres du sol, une planche a été attachée à une corde et suspendue à un arbre. Le « pendu » à roulettes est accompagné d'un message :

« Mon ex-proprio es un nain-bécil. Si t'é a la hauteur, prend moi ! »

— Ça prenait ben Landry pour écrire quelque chose d'aussi niaiseux ! Pis avec autant de fautes…

— LANDRY ? C'est pour LUI qu'on est ici ?

Non, pas pour lui. Grâce à lui.

Ophélie délaisse enfin ses précieux cumulonimbus pour planter son regard inquiet dans celui d'Annabelle. Si on venait de lui annoncer qu'elles étaient venues poser une bombe artisanale à la station Val Saint-Côme, elle n'aurait pas l'air plus terrifiée qu'en ce moment. Si Annabelle avait su que le seul nom de Landry était suffisant pour faire réagir sa nouvelle amie, elle l'aurait prononcé bien avant.

— T'es amie avec Kevin Landry ? Le gros cave rasé qui arrête pas de redoubler ? Celui qui s'est fait pogner au moins cinquante fois à voler ?

— Ben… euh… amie, c'est un grand mot, mais… ouais, je pense !

— Est-ce qu'il est ici aujourd'hui ?

— Je sais pas, ça se peut. Pourquoi ?

— Moi… faut que… j'y aille… parce que…

Ophélie recule vers la piste en bredouillant une justification boiteuse qu'Annabelle n'entend pas parce que sa voix est couverte par celle d'un fou furieux. Quelqu'un s'amuse à hurler, quelque part sur la montagne. Sûrement pas très loin.

Ophélie est déjà bien engagée dans la piste. Elle ne remarque pas les trois cyclistes qui dévalent l'Autoroute à toute vitesse.

Annabelle, oui.

Elle voudrait crier, mais les mots restent coincés dans sa gorge. Elle voudrait courir, mais ses pieds demeurent cloués au sol, comme s'ils étaient enfoncés dans du béton plutôt que dans la boue.

Alors, elle ferme les yeux et pense : « C'est trop injuste ! Dire que j'avais enfin trouvé quelqu'un avec qui m'asseoir à la cafétéria… »

Devant Sam, BD file comme une comète. On pourrait presque voir une traînée de feu dans son sillage, tellement il va vite. Son vélo de montagne ricoche dangereusement sur les saillies rocheuses. Sam hurle comme un fou :

— WOOUUUUHHOOUUUUUUUU-UUUUUUUUUU !

Il se sent furieusement vivant. La vérité, c'est que Sam ne connaît rien de mieux au monde que le sentiment de liberté qui lui colle à la peau dans les moments comme celui-là. Qu'il surfe sur sa planche à neige ou qu'il chevauche son vélo ou sa planche à roulettes, c'est du pareil au même. Il lui pousse des ailes. Le trip total !

Jusqu'à présent, Sam, BD et Xavier auront profité pleinement de chaque instant qu'aura duré le Festival des couleurs pour se défouler sur l'Autoroute et sur la Boulevard[17]. Trois fins de semaine de descentes intensives... Et surtout INTENSES.

---

17 Les deux pistes de la station Val Saint-Côme accessibles aux vélos durant le Festival des couleurs.

Xavier est encore loin derrière eux. Plus bas sur la montagne, il aperçoit Sam qui rebondit comme une sauterelle sur les escarpements. Encore plus bas, c'est Loïc qui se fait brasser comme une poupée de chiffon par les aspérités de la montagne. Et encore, encore plus bas, un minuscule point sombre surgit d'un sous-bois.

« Oh ! merde ! »

Xavier espère que BD le verra à temps pour l'éviter. Il voit Loïc bifurquer vers la gauche en prenant un virage serré.

Tandis que le Roux enclenche le bouton d'enregistrement de sa caméra intégrée à la bretelle de son sac à dos, Sam continue de crier :

— WOUHOOOUUUUUUUUU...WHA ? WHAAAAAAAAAAAAAAAAAA !

Sam remarque enfin la silhouette qui se dresse devant lui, à quelques mètres seulement.

« Ophélie ? Encore sur mon chemin, elle ! ! ! »

Elle est maintenant trop près pour qu'il puisse la contourner. Sam a le réflexe d'actionner les freins d'un coup sec. Le vélo s'immobilise violemment. Sam est instantanément propulsé par-dessus son guidon et entraîné dans une culbute vertigineuse. Il effectue un *front flip* audessus d'Ophélie qui suit sa trajectoire des yeux, ébahie.

Bien qu'il porte un casque, le petit frisé tente tant bien que mal de protéger sa tête avec ses mains pendant qu'il déboule la pente. Il s'immobilise au bout d'une dizaine de mètres.

Quand Annabelle trouve enfin le courage de rouvrir les yeux, la première chose qu'elle voie, c'est une fusée orange qui passe à vive allure en soulevant un nuage de gravier et de poussière sur son passage.

Le Roux sait qu'il va trop vite pour s'arrêter comme ça, « sur un dix cennes ». Sam vient tout juste de lui donner un aperçu de ce qui va lui arriver s'il décide de freiner, alors...

— Saaaaaammm, je revieeeeeeeeeeeeeeens !

Xavier continue de rouler en essayant désespérément de regarder vers l'arrière.

Annabelle réalise qu'Ophélie n'a pas été heurtée. Aucune égratignure. Juste un léger... traumatisme psychologique. Elle est statufiée au beau milieu de la piste, les yeux rivés sur le corps en compote de Sam.

— On devrait aller voir s'il est correct.

Annabelle entraîne Ophélie en aval de la montagne, là où le petit frisé se tord de douleur. Celle-ci se laisse guider sans broncher, comme un robot désactivé.

En les voyant arriver, Sam pense : « Pas elle... Pas Shakira ! » Les battements de son cœur accélèrent la cadence. Depuis qu'il l'a surprise au skatepark en compagnie du Gros Landry, et surtout depuis l'étonnant spectacle qu'elle a donné sous le porche de l'école vendredi, cette fille l'intimide profondément. À l'école, Sam n'oserait jamais l'aborder. De toute façon, Xavier le dénoncerait inévitablement à Fabrice dès qu'il aurait le dos tourné... Mais ses amis ne sont pas ici. Et il est vraiment mal pris.

— Je suis blessé. OUCH ! Aidez-moi à me relever !

Contrairement à Sam, Annabelle a suivi des cours de gardienne avertie. Elle sait donc qu'il n'est pas recommandé de bouger un blessé avant l'arrivée des secours.

Comme elle n'a rien d'autre à faire que de le regarder souffrir en attendant l'arrivée des patrouilleurs, Annabelle décide de jouer le jeu. Elle veut le faire payer pour son minable pacte anti-filles. Lui faire regretter sa réaction sexiste et puérile durant la période de natation.

— Ophélie, est-ce que t'as entendu quelqu'un parler ?

Annabelle ne lui laisse pas le temps de répondre. Elle ajoute aussitôt :

— C'est ça que je pensais. Moi non plus.

— Les filles, s'il vous plaît !

— Viens, Ophélie, on va aller chercher mon skate.

— Hé ! Partez pas !

— C'est drôle, je pensais que les gars comme toi aimaient mieux mourir que de se faire aider par des filles… Ah, mais c'est vrai… Moi, c'est différent vu que je suis genre, moitié-fille, moitié-gars. C'est ça ?

— Que… quoi ?

Annabelle s'éloigne, satisfaite de la mine éberluée du frisé, qui vient tout juste de réaliser que leur conversation au sujet de l'opération « Morve de Chenille » s'est ébruitée. Ne sachant trop que faire, Ophélie lui emboîte le pas. Elle lui chuchote :

— Qu'est-ce qu'on fait ? On va quand même pas le laisser là !

— Non, non. Juste une petite minute pour lui faire peur. De toute façon, c'est clair que son ami est allé avertir les patrouilleurs. On peut pas faire grand-chose pour l'aider en attendant…

Les deux filles se retrouvent bientôt dans le petit bosquet, à l'endroit même où la planche a été suspendue. Annabelle demande à Ophélie de lui faire la courte échelle. Celle-ci s'exécute, non sans broncher.

En moins de deux minutes, la planche est décrochée. Annabelle peut désormais la tenir dans ses bras, la toucher, l'admirer. Elle est soulagée de constater que la planche n'a pas trop souffert des intempéries, sans doute grâce à l'abri naturel formé par le branchage des arbres. L'ancien propriétaire n'était sans doute pas un as de la planche, mais Annabelle le deviendra grâce à lui. C'est un skate de champion, elle le sait. Elle le sent. Quand elle aura cette planche-là sous les pieds, toutes les têtes vont se retourner sur son passage.

34

Toujours recroquevillé sur lui-même, Sam voit les deux filles revenir dans sa direction. Annabelle tient une planche dans ses mains. Une planche recouverte d'un gros monstre vert qui rote. Sam reconnaît ce dessin. C'est…

— Hé, c'est mon skate !

—Hein ? Annabelle s'attendait à tout sauf à ça.

Elle se doutait bien que Kevin Landry n'était ni une lumière ni un saint. Mais elle n'aurait jamais imaginé que la planche qu'il lui offrait était volée… et encore moins qu'elle appartenait à Samuel Blondin ! Oups. Il est hors de question qu'elle porte le blâme pour ce crétin, mais d'un autre côté, elle hésite à le dénoncer. Le Gros Landry est certainement plus rusé qu'elle ne le croyait. L'intuition d'Annabelle lui dicte donc de jouer la carte de la petite morveuse, histoire de brouiller les pistes quant à l'identité de son faux bienfaiteur :

— Qu'est-ce qui te fait dire que c'est ton skate ? Peut-être qu'il lui ressemble, mais que c'est pas le tien... C'est quand même pas un modèle unique au monde !

— Ben, là ! Je sais reconnaître mon board quand je le vois !

Le frisé tente de se relever pour aller récupérer sa planche, mais Annabelle le met en garde :

— Moi, si j'étais toi, j'arrêterais de bouger jusqu'à l'arrivée des secours. Si tu continues à gigoter, tu risques d'empirer ton cas.

— Je m'en fous ! Mon board, où est-ce que tu l'as trouvé ?

— Là-bas. Il m'attendait.

— Voleuse ! Redonne-le-moi !

— Comment ça, voleuse ?! Je t'ai dit que je l'ai trouvé. Pas volé ! Si t'étais gentil, je te le redonnerais sûrement, mais vu la façon dont tes amis et toi traitez les filles depuis le début de l'année, j'ai plutôt envie de le garder... C'est tout ce que tu mérites, tant qu'à moi. Ça t'apprendra à penser que les filles sont stupides !

Sam mord automatiquement à l'hameçon :

— Le pacte anti-filles, c'était pas mon idée...

— Peut-être, mais ça t'a pas empêché d'y participer !

— J'avais pas le choix ; mes amis insistaient !

— Si tes amis insistent pour que tu te baignes dans une piscine d'acide, vas-tu le faire ?

— C'est pas la même chose !

— Oui ! Faut apprendre à s'assumer, dans la vie, t'sais !

Sam se rembrunit, piqué à vif par les propos de l'adolescente. Il tente de reprendre le contrôle de la conversation avant que la situation ne dérape :

— Comment t'as su, pour le pacte ?

— Si je te le dis, ça reste entre nous, OK ? demande Annabelle en se radoucissant.

Sam opine vivement du chef même si, en réalité, il n'a nullement l'intention de taire cette discussion à ses amis.

— Landry pis Ludo vous ont surpris en train d'en parler…

Ophélie écarquille les yeux à l'évocation de ces deux voyous en puissance. C'est qu'elle n'apprécie franchement pas de jouer dans les plates-bandes de ce truand de Kevin Landry en fréquentant les mêmes personnes que lui ! Elle doit trouver un prétexte pour filer.

Ophélie réfléchit à une excuse en s'éloignant à pas feutrés, jusqu'à ce qu'Annabelle lui demande où elle a l'intention d'aller. Elle s'explique, non sans bafouiller :

— Faut que… j'aille… aux toilettes.

— Je viens avec toi ! Moi aussi, j'ai une petite urgence. Un problème de fille, si tu vois ce que je veux dire…, laisse sous-entendre Annabelle en ne lâchant jamais Sam du regard.

Elle guette sa réaction, espérant l'avoir suffisamment embarrassé. Elle tient à lui faire regretter son comportement puéril de vendredi, à la piscine. Tandis qu'elle commence à s'éloigner, elle sent qu'il est sur le point de commettre un geste impulsif. Comme de fait, le blessé se relève péniblement avant de vaciller vers les deux filles en boitillant sur sa jambe valide.

— Tu partiras pas d'ici avant de m'avoir redonné ce qui m'appartient !

— Essaie de m'attraper juste pour voir...

Il n'en faut pas plus pour convaincre le frisé semi-blessé de tenter sa chance, même si le sort semble s'acharner sur lui. Tandis qu'Annabelle recule d'un pas, amusée, Samuel s'élance maladroitement dans sa direction. Un caillou gros comme une tête de carcajou se dresse au travers de sa route. Plutôt que de l'éviter, son pied déjà endolori s'y bute mollement. Son corps est projeté vers l'avant. Encore. Sam souffre déjà, rien que d'y penser. Ouch. Il a le réflexe de tendre le bras et de se cramponner à la première chose qu'il touche. Du tissu. Et une main qui lui oppose une certaine résistance.

— Hé, lâche-moi !

Il écoute la voix et s'affale sur le sol rugueux de la montagne. Encore. Ouch (bis). En apercevant Annabelle et son chandail tout fripé, Sam réalise qu'il s'agit du fameux bout de tissu auquel il s'est agrippé. S'il n'avait pas lâché prise, il aurait certainement entraîné la petite nouvelle dans sa chute avec lui. Trop secoués pour remuer un cil, les deux se jaugent, immobiles. Des voix percent le silence:

— Tiens, tiens! Si c'est pas notre ami Sam et ses mains baladeuses! On t'a jamais dit qu'il fallait demander la permission aux dames avant de les tripoter?

— De toute façon, il demande pas la permission pour les espionner non plus!

— C'est vrai, ça. Faudrait ben qu'on lui donne une bonne leçon, au petit vicieux.

Sam reconnaîtrait ces deux voix masculines entre mille, même les oreilles bouchées ou la tête plongée dans la cuvette d'une toilette. (Il en a déjà fait l'expérience durant un certain camp de vacances...) Il s'agit du duo de charognards: Ludovic Blouin-Delorme et Kevin Landry, l'unique vautour-à-deux-têtes de la région. Une espèce en voie d'extinction. Sam tente de se relever, mais il est momentanément déséquilibré. Le vautour-à-deux-têtes empoigne le collet de son chandail dans ses puissantes serres pour le forcer à se remettre sur pied.

— Ouais... une bonne leçon, répète Landry en accompagnant le geste de la parole.Il bouscule violemment le petit frisé, que la poigne de Ludo empêche de tomber. Annabelle s'interpose aussitôt entre les trois garçons:

— Hé, qu'est-ce que vous faites? Lâchez-le! Il a rien fait!

— Ah non ? Pourtant, moi, j'étais sûr qu'il essayait de te voler ton skate ! fait Landry en la gratifiant d'un clin d'œil complice.

Deuxième bousculade. Annabelle ferme les yeux. Elle se sent coincée. Acculée au pied du mur. Elle doit se dépêcher d'agir avant que Ludo et Landry ne se fasse une joie de réduire Sam en bouillie. Elle ne le porte peut-être pas dans son coeur après la façon dont il s'est comporté vendredi, mais il n'est pas question qu'on le tabasse sous un prétexte bidon ! Annabelle décide donc de provoquer Landry :

— Tu peux ben parler ! Tu le sais autant que moi que ce skate-là est à lui ; c'est toi qui l'as volé !

— Je vois vraiment pas de quoi tu parles..., se défend l'accusé, un rictus mesquin aux lèvres.

Annabelle renchérit :

— Tu peux être sûr que si j'avais su, je l'aurais jamais accepté, ton maudit cadeau empoisonné...

— Ah ouin ? T'es sûre de ça ? T'avais l'air pas mal frustrée quand je t'ai montré la vidéo...

— Ouin, pis ? Ça veut rien dire !

— Quelle vidéo ?! demande Sam, perplexe.

Il commence à se douter de quelque chose.

Annabelle en profite pour lui tendre une perche :

— Tiens, reprend-le ! J'en veux plus, de ton board...

Tout en lui redonnant la planche, elle le fixe intensément, comme pour lui transmettre un message. Sam, sur ses gardes, l'attrape d'un geste lent. Une décharge électrique le parcourt alors que ses mains frôlent celles d'Annabelle. Soudainement, il pense comprendre ce qu'elle attend de lui. Il s'empare de la planche pour l'écraser brutalement contre la tempe gauche du Gros Landry, qui se recroqueville aussitôt sous le coup de la douleur. Ludovic réagit prestement en montant aux barricades comme un taureau déchaîné. Il écrabouille le poignet du petit frisé de façon à ce qu'il laisse tomber la planche. De sa poigne de fer, Ludo ramène les bras de Sam derrière son dos pour que son partenaire puisse le rouer de coups sans rencontrer de résistance. Mais Landry ne bouge pas d'un poil, agonisant toujours au sol, le visage entre les mains.

Puisqu'on n'est jamais si bien servi que par soi-même, Ludovic décide de se charger seul de sa victime. De lui faire payer d'avoir mis son ami hors circuit.

Un coup. Sam se cambre sous le choc de l'impact. Un deuxième coup. Ophélie pousse un cri perçant, susceptible d'ameuter les passants. Un troisième coup. Annabelle supplie désespérément Ludovic d'arrêter. Elle le frappe entre les deux omoplates du plat de sa main. En vain. Ludo est tellement à cran qu'il ne sent rien.

Annabelle est sur le point d'abandonner lorsqu'elle aperçoit enfin un homme et une femme, vêtus d'une veste en polar marquée d'une croix. Des patrouilleurs. Qui viennent à leur rescousse ! Elle remarque alors qu'ils sont précédés de près par Loïc et Xavier. L'homme accourt vers eux en ordonnant d'une voix autoritaire :

— LES GARS ! On arrête ça tout de suite !

Il s'empresse de séparer Samuel et Ludovic, tandis que la femme se penche au-dessus de Landry, inquiète face à son état :

— Le petit Blondin s'en vient avec moi à l'infirmerie. L'autre aussi, dit-elle en désignant le Gros Landry. Toi, t'amènes Blouin-Delorme au bureau de Louis-Georges. Il va s'occuper de son cas, crois-moi.

— J'en doute même pas, lui répond son collègue.

Le patrouilleur ajoute, à l'intention de Ludovic :

— Tu peux tout de suite faire une croix sur ta compétition, mon grand. Tu viens de gaspiller ta dernière chance de te racheter.

35

Les deux secouristes ne semblent pas trop s'inquiéter pour Sam. Il est plutôt mal en point, c'est vrai, mais il n'est pas à l'article de la mort pour autant. À vue de nez, il n'a que quelques ecchymoses, de vilaines éraflures, une banale entorse à la cheville, une lèvre fendue et une côte fêlée. Un beau bilan qui signifie, en gros : zéro sport extrême pour les prochaines semaines, s'il espère être rétabli à temps pour s'amuser sur les pentes cet hiver. De toute façon, les freins de son vélo sont bousillés et sa planche à roulettes est, tout comme lui, passablement amochée...

Rien de trop grave, en bref, puisque la convalescence devrait être de courte durée ; une semaine ou deux sans faire de folies, tout au plus. Or, puisqu'il a fait une vilaine chute à haute vélocité en plus d'avoir été tabassé, les patrouilleurs n'ont d'autre choix que de l'envoyer à l'hôpital de Rawdon pour procéder à un suivi plus approfondi.

Quand Samuel ressort finalement de l'infirmerie de Val Saint-Côme moins d'une heure plus tard, il est escorté par les ambulanciers, étendu sur une civière. Ses amis et ses parents — qui l'ont immédiatement rejoints sur place en apprenant la nouvelle — le regardent passer, tous aussi ébranlés. Sa mère est hystérique, s'informant sans cesse de l'état de santé de son « bébé » tandis que son père patiente à côté de l'ambulance, la mâchoire crispée. Robert aurait très envie de régler leur cas aux deux voyous qui s'en sont pris à son fils, mais il est conscient que la violence ne règle rien, bien au contraire. Et puis, même s'il le voulait, le premier est toujours en observation à l'infirmerie et le deuxième, dans le bureau du directeur adjoint où il passe déjà un mauvais quart d'heure…

Ophélie, quant à elle, en a déjà profité pour filer. Pour de bon, cette fois. Enfin, c'est ce que craint Annabelle. La pauvre avait l'air tellement bouleversée par les événements de la journée que la petite skateuse n'a pas trop insisté. Il faut dire qu'elle-même est plutôt remuée…

Heureusement, cette bataille haute en couleur, en émotions et en révélations lui aura, à tout le moins, permis de se rapprocher des garçons. Force est d'admettre que la manigance machiavélique de Landry et de Ludo n'aura pas eu l'effet escompté. S'ils comptaient semer la bisbille entre Annabelle et la petite bande, ils les ont plutôt encouragés à se lier d'amitié ! En effet, dans l'attente du petit frisé blessé, Annabelle, Loïc et Xavier auront largement eu le temps de faire connaissance et d'entretenir une longue et passionnante conversation. Ils se sont alors découverts une foule d'atomes crochus, à commencer par leur amour invétéré des sports extrêmes… et leur hostilité profonde envers Chanel et Marion !

Maintenant que l'ambulance repart avec Samuel à bord, les trois nouveaux amis réalisent que Fabrice et Mathis n'ont pas encore été avisés des événements de la journée. Xavier fait d'ailleurs remarquer :

— Je pense pas que Fabriche va être enchanté d'apprendre qu'on a accepté une fille dans notre groupe…

— Ben, il faudra qu'il se fasse à l'idée, parce c'est comme ça ! De toute façon, son complot a assez duré.

— Hé, mais… Moi, j'haïs Chanel pis Marion autant que vous ! Si ça peut le contenter, on peut toujours lui proposer de faire un pacte antinunuche ? suggère Annabelle.

— Ouais, bonne idée ! approuve Xavier.

— Parfait ! Direction QG, conclut Loïc.

*

À voir la tête que fait Fabrice en l'apercevant sur le palier de leur quartier général, Annabelle devine d'emblée qu'elle devra se montrer particulièrement persuasive pour être invitée à y entrer. Elle est prête à tenter le tout pour le tout, à se jeter dans la gueule du loup. Pourtant, le Français réussit à la prendre de court en montrant les crocs le premier.

— Qu'est-ce qu'elle fait ici ? grogne-t-il à l'intention de Loïc et de Xavier.

Avant même que Fabrice ne se décide à les chasser, BD se charge de lui résumer la situation, à sa façon :

— Sam est à l'hôpital, Landry est à l'infirmerie pis mon frère est dans le trouble. Annabelle est là pour nous aider. C'est bon ? Elle peut entrer ?

— Hein ? Sam est blessé ? Rien de grave, j'espère..., s'affole Mathis en s'empressant de rejoindre Fabrice et les trois autres, à l'entrée du QG.

— Non, ça va. Il est correct, mais disons que mon frère pis Landry l'ont pas manqué. À cause de ça, Ludo pourra pas organiser sa compétition de Slopestyle à Saint-Côme…

— Quoi ? « Planches d'enfer » est annulé ? s'écrie Fabrice, manifestement plus alerté par cette dernière mauvaise nouvelle que par l'état de santé de son ami.

— Il y a rien de sûr encore, mais ça regarde mal…

— Qu'est-ce que c'est, « Planches d'enfer » ? demande Annabelle d'une toute petite voix, gênée d'interrompre leur discussion.

En remplacement de Sam, Xavier se charge de répondre pour Loïc :

— C'est le nom que Ludo avait donné à la compétition multidisciplinaire qu'il organisait pour son projet personnel à l'école. Le concept était débile ! Trois épreuves étalées sur trois saisons. Le snow l'hiver, le skate au printemps, pis le wake à l'été. Trois membres par *team*, un membre par épreuve. Il avait trouvé plein de commanditaires pour les prix ! Zac Boots était censé faire partie du jury…

— T'as bien dit Zac Boots ?

— Ouais, c'est un pro rideur, précise le rouquin.

— Je sais c'est qui ! s'écrie Annabelle, surexcitée, avant de porter son attention sur Loïc. Ton frère le connaît, BD ?

— Ben oui. Comme moi. Pis comme la plupart des gens de la région… Zac vient du coin.

Dans la tête d'Annabelle, un déclic se fait, comme si elle venait de remporter le gros lot. Chechling chechling ! Son cerveau l'assaille d'images superposées : elle, dévalant les pentes en compagnie du célèbre planchiste. Elle, le jour de la compétition « Planches d'enfer », sur le podium avec Zac Boots. Zac lui remettant son gros chèque en la félicitant. Les deux quittant la compétition, main dans la main…

Pourtant, inutile de s'emballer, puisque la compétition est sur le point d'être annulée... Ludovic est maintenant dans le pétrin jusqu'au cou, et avec raison. Cependant, Annabelle reste persuadée qu'il existe une issue à cette situation.

— Je pense que j'ai une idée pour convaincre le directeur de la station de donner une deuxième chance à Ludo...

— Une deuxième chance? Si tu savais le nombre de conneries que mon frère pis Landry ont fait à Saint-Côme! C'était déjà un miracle que la station accepte de parrainer son projet, annonce Loïc, défaitiste.

Annabelle poursuit sans se laisser abattre:

— Ça coûte rien d'essayer! Mais pour ça, il nous faudrait un plan...

— Annabelle a raison, on peut y arriver! renchérit Xavier. Mais pas sans elle...

— Fab, est-ce que tu te décides à la laisser entrer, ou est-ce que tu préfères qu'on reste plantés là toute la journée? lui redemande Loïc, un brin frondeur.

Fabrice marmonne alors, un peu à contrecoeur:

— Ouais. Entrez. Annabelle, fais comme chez toi...

L'adolescente ne se laisse pas prier. Bien qu'elle ne soit pas totalement sincère, cette phrase d'apparence toute simple représente beaucoup pour elle: l'opération « Morve de chenille » est officiellement démantelée.

Grâce à elle, les garçons de la bande ont pris conscience de l'absurdité d'un tel pacte. Annabelle doit même reconnaître que cet idiot de Landry y a grandement contribué, de façon involontaire, certes, mais elle ne peut s'empêcher de croire que la vie fait parfois bien les choses… si ce n'était de ce pauvre Sam !

Le cœur d'Annabelle se comprime douloureusement. Elle le revoit étendu sur sa civière avec ses airs de zombie fraîchement ressuscité.

Annabelle se fait alors la promesse d'aller le visiter, dès que possible. Elle ira lui tenir compagnie, comme le font les vrais amis. Et peut-être sentira-t-elle même le besoin de s'excuser de la tournure quelque peu brutale des événements… il en profiterait sans doute pour s'excuser en retour de l'avoir ignorée et sous-estimée, en plus de s'être moqué d'elle à la piscine… Qui sait ?

La jeune skateuse réalise qu'elle aurait aimé partager ce moment avec le petit frisé. Après tout, il est le premier garçon qui ait attiré son attention, le jour de son arrivée à Rawdon…

Mais ce n'est que partie remise.

Tandis qu'Annabelle pénètre dans le QG et découvre avec enthousiasme le royaume du skateur amateur, une certitude l'envahit.

« J'ai enfin ma place ici… »

À suivre…

REMERCIEMENTS

AVERTISSEMENT : Si vous souffrez d'une phobie des énumérations, d'une intolérance aux tranches de vie et d'une peur panique des étrangers, il vous est fortement déconseillé de lire ce qui suit. Ce texte déborde d'anecdotes que vous ne comprendrez pas et de gens que vous ne rencontrerez peut-être jamais.

Tout d'abord, je tiens à remercier ma fabuleuse mère et ses idées de génie qui surgissent de nulle part, à toute heure de la journée. Merci d'être toujours là pour moi. Merci d'être toi, tout simplement ! Merci à Luca et à Mario (le vrai Italien et le faux Grec), mes « démineurs » personnels, toujours prêts à désamorcer ma nervosité par des blagues bien senties ou par des chansonnettes insensées, chaque fois que je suis sur le point d'exploser. Merci à mon père (alias Skyves), pour son indéfectible soutien moral et technique. Qui d'autre que toi saurait aussi bien relever mes incongruités, dans la vie comme sur papier ? Merci à toi, Claude, espèce de superhéros à roulettes ! Ton appétit pour la vie est contagieux ; continue d'illuminer ma vie en semant le bonheur autour de toi grâce à tes pensées magiques et aux super-pouvoirs de Manouche, ta beauté cosmique.

Et maintenant, quelques remerciements en rafales…

Merci à :

– Annie Q. pour ses commentaires avisés.
– Julz pour le séjour mémorable
  en République dominicaine
  (*Be live, Peter !*)
– Julie C. pour m'avoir hébergée chez elle à
  Saint-Alphonse-Rodriguez
  et pour avoir partagé avec moi les
  beautés et les particularités de la région.
– Sam Leclerc, le petit skateur frisé
  qui en a fait voir de toutes les couleurs à
  la monitrice inexpérimentée
  que j'étais, un certain été !
– Thierry et à Michel, mes deux daltoniens
  préférés (désolée, Jason !)
– Anne-Sophie Julien des Shirtboarders
  pour s'être donné la peine de clarifier mes
  nombreuses interrogations.

Et finalement, merci à toute l'équipe des Intouchables, à commencer par Géraldine, qui a été la première à croire en mes capacités ; Michel qui continue de m'encourager malgré mes doutes et mes insécurités ; Marie-Eve, qui a dirigé mes

« premiers pas », avant de se consacrer à son bébé ; Érika, qui fait des pieds et des mains pour me laisser pondre à mon rythme ; Josée, pour cette Annabelle mille fois plus jolie que ce que j'aurais pu espérer… et tous les autres que je ne voudrais pas oublier : Dominique (x 100), Danielle, Fanny, Marie, Marie-Noëlle, Mathieu, Jimmy, Virginie… Dites, j'en oublie ? Oh, oui : merci à vous tous, qui avez lu mon roman et survécu à ces interminables remerciements ! ☺

Chloé Varin

JARGON DU PLANCHISTE

Backside (BS) : Terme principalement utilisé durant les *slides* ou les *grinds* pour déterminer la direction avec laquelle le skateur prend d'assaut la barre ou le module. *Backside* signifie que le planchiste se présente dos à l'obstacle, tandis que *frontside* implique une entrée face à l'obstacle. Exemple de figure : *Backside 50-50.*

Board : Voir *Planche à roulettes.*

Coping : Tuyau métallique posé au sommet d'un module ou d'une rampe pour *slider* et pour *grinder,* c'est-à-dire glisser sur les axes (*trucks*) de la planche. (voir *Half-pipe* ou *Quarter-pipe*).

Curb : Module de forme rectangulaire très allongée sur lequel on peut glisser et, donc, exécuter des *slides* et des *grinds*. Techniquement parlant, l'installation urbaine qui ressemble le plus au *curb* est le trottoir.

Deck : Ce terme désigne uniquement la planche de bois, c'est-à-dire le skateboard sans les roues et les axes (voir *Trucks*). La surface supérieure de la planche est recouverte d'un papier adhésif antidérapant et généralement noir appelé « grip ». La surface inférieure est lisse et vernie. On y retrouve le dessin propre au modèle, ainsi que le nom et le logo de la compagnie qui l'a fabriqué. Il existe une variété infinie de *decks*, tous plus colorés et épatants les uns que les autres.

Frontside (FS) : Exemple de figure : *Frontside flip*. (Voir *Backside*)

Funbox : Module en forme de trapèze (vivement les cours de géométrie !) dont la surface plane permet au skateur de rouler pour exécuter certaines figures. Le *funbox* peut aussi être désigné par le mot « table ». Ce type de module est souvent agrémenté de *rails* ou de *curb*.

Half-pipe : Gros module en forme de « U » ou de demi-lune couchée qui permet d'atteindre des hauteurs vertigineuses. (Voir *Rampe*)

Kickflip : Figure de skateboard inventée par le planchiste professionnel Rodney Mullen et qui consiste à exécuter une rotation de 360° avec la planche de façon à ce qu'elle soit soulevée dans les airs et tourne sur elle-même dans le sens de la largeur pour finalement atterrir roues contre le sol. Ça n'évoque pour vous aucune image mentale ? Dans ce cas, imaginez un méchoui (très aplati) pivotant à l'horizontale sur sa broche… Si vous n'arrivez toujours pas à visualiser la manœuvre, eh bien, allez sur Internet visionner une vidéo ! (Une image vaut mille mots, alors que cette définition n'en compte même pas cent...)

Longboard : La principale fonction du longboard, aussi appelé longskate, est de permettre des déplacements aussi fluides que rapides. Contrairement au skate traditionnel, le longboard ne peut être employé pour exécuter des sauts et des figures en raison de sa forme trop allongée. En revanche, il offre une bien meilleure stabilité, ce qui peut s'avérer fort pratique pour dévaler des routes pentues.

Ollie : Figure de base incontournable en skateboard qui consiste à claquer l'extrémité arrière de la planche de façon à ce qu'elle bondisse dans les airs. Il est presque essentiel de bien maîtriser le « ollie » avant d'aspirer à réussir des figures plus complexes.

Planche à roulettes : Aussi appelée « board », « skate », « palette »... ou autre, puisque les planchistes sont souvent très créatifs à l'égard de leur planche, que ce soit dans l'appellation ou dans l'aspect décoration. Une bonne planche coûte cher, surtout si l'on doit l'équiper d'axes (*trucks*), de roulements (*bearings*) et de roues pour qu'elle puisse enfin rouler ! Logique, non ? Plus un skateur s'entraîne, plus l'espérance de vie de sa planche sera de courte durée... ce qui ne l'empêche pas de la choisir à son goût et même, parfois, d'y apposer des autocollants ou des slogans pour la personnaliser.

Pop shove-it : Figure de skateboard qui consiste à claquer l'extrémité (*tail*) de sa planche de façon à ce que celle-ci effectue une rotation latérale dans le sens horaire ou anti-horaire. Imaginez, par exemple, le mouvement circulaire de l'hélice d'un hélicoptère.

Quarter-pipe : Rampe à un seul côté. Installation en « quart de lune » de taille beaucoup plus modeste que son cousin, le *half-pipe*. (Voir *Rampe*)

Rail : Barre d'acier aussi dite barre de *slides*. Les *rails* peuvent faire partie du mobilier urbain, telle une rampe d'escalier (*handrail*), ou avoir été spécifiquement aménagés à l'intention des planchistes. Certains modules sont agrémentés de *rails*, mais les barres d'acier peuvent tout aussi bien être installées de façon indépendante.

Rampe : Pour éviter toute confusion, les rampes sont souvent désignées par les termes *half-pipe* ou *quarter-pipe*, selon l'amplitude de leur courbe.

Replaquer : Atterrir sur sa planche après avoir exécuté une figure.

Rotation : Les rotations viennent pimenter les prouesses des planchistes en ajoutant un degré de difficulté additionnel à une figure déjà bien maîtrisée. Demi-rotation = 180°, rotation complète = 360°, double rotation = 720°, etc.

Skateboard : Voir Planche à roulettes.

Skateur : Aussi dit « skater », « rideur », « *rider* », « *ripper* », « planchiste »...

Skatepark *:* Parc de skate ou de planche à roulettes. On en répertorie plus d'une centaine à travers la province de Québec. Il existe des skateparks intérieurs et des skateparks extérieurs. Certains skateurs préfèrent les parcs, alors que d'autres préfèrent improviser dans la rue avec le mobilier urbain qui s'y trouve. C'est ce qu'on appelle « faire du *street* », c'est-à-dire s'exercer en dehors des endroits spécifiquement réservés à la pratique du skate, tels que les skateparks.

Slam : Chute violente en skate.

Slide : Type de figure impliquant le « ventre » de la planche, c'est-à-dire la partie lisse entre les *trucks*, et qui consiste à glisser sur une barre de métal ou sur l'arête d'un module.

Snowboard : Planche à neige.

Trick : Truc ou figure en skateboard, snowboard, wakeboard, ou tout autre sport extrême qui conjugue technique, habileté et créativité. Autrement dit, il s'agit d'une manœuvre ou d'une acrobatie qui nécessite un certain entraînement, qui comporte certains risques, mais qu'on n'hésite pas à sortir pour impressionner les filles et les amis le jour où, ENFIN, on la réussit. (En un seul morceau, autant que possible.) N.B. Les *tricks* de base sont généralement sans danger...

Truck (ou axe) : Support métallique servant à accueillir les roues. Les *trucks* sont souvent désignés au pluriel puisqu'ils viennent par deux, chaque planche étant dotée d'un axe avant et d'un axe arrière.

tc • IMPRIMERIES TRANSCONTINENTAL